1916	Instructeur militaire au Portugal.	*Feu*. G. Apollinaire : *les Mamelles de Tirésias*.	Bataille de Verdun.
1917	Aux Etats-Unis avec une mission d'officiers instructeurs. *Lectures pour une ombre*.	Mort de Rodin. J. Copeau et sa troupe (dont Jouvet) au Garrick Theater. Mort d'E. Degas. P. Valéry : *la Jeune Parque*.	Révolution russe en mars. Intervention des États-Unis en avril (Wilson).
1918	*Simon le Pathétique*. Mariage de Jean Giraudoux.	P. Claudel : *le Pain dur*. H.-R. Lenormand : *les Ratés*. Mort de Debussy, Apollinaire, Edm. Rostand.	Paix de Brest-Litowsk. 11 novembre, Armistice.
1919	*Amica America. Elpénor*. Secrétaire d'ambassade au Service des œuvres françaises à l'étranger.	M. Proust : *A la recherche du temps perdu*. T. Tzara à Paris. J. Cocteau : *le Bœuf sur le toit*. Groupe musical des Six (Milhaud, Durey, Honegger, Auric, Poulenc, Tailleferre).	Création de l'enseignement technique. Traité de Versailles. S. D. N. République de Weimar. Traité de Sèvres avec la Turquie.
1920	*Adorable Clio*.	Premier manifeste *dada*. Mort de P.-J. Toulet. P. Claudel : *le Père humilié*. Alain : *Mars ou la Guerre jugée*.	Fin du septennat de Poincaré. Fondation de la troisième Internationale.
1921	*Suzanne et le Pacifique*. Chef du Service des œuvres françaises à l'étranger.	H.-R. Lenormand : *le Simoun*. Mort de G. Feydeau.	Petite Entente. Royaume d'Irak.
1922	*La Prière sur la tour Eiffel*. *Siegfried et le Limousin*.	A. Gide : *Saül*. G. Duhamel : *la Journée des aveux*. P. Valéry : *Charmes*. Ch. Vildrac : *le Paquebot Tenacity*.	Conflit Poincaré-Berthelot. Marche sur Rome de Mussolini. Occupation de la Ruhr, 1923. Traité de Lausanne, victoire turque.
1924	*Juliette au pays des hommes*. Chef des Services d'information et de presse au ministère des Affaires étrangères.	Manifeste surréaliste. J. Cocteau : *les Mariés de la tour Eiffel*.	Mort de Lénine. Plan Dawes. Cartel des gauches : Briand-Stresemann.
1926	*Bella*. Nommé à la Commission d'évaluation des dommages alliés en Turquie.	P. Claudel : *le Soulier de satin*. H. de Montherlant : *les Bestiaires*. Alain : *le Citoyen contre les pouvoirs*.	Ministère Poincaré (1926-1928) d'Union nationale. Franc stabilisé à 1/5 de sa valeur.
1927	*Eglantine. La Première Disparition de Jérôme Bardini. L'Orgueil*.	F. Mauriac : *Thérèse Desqueyroux*. J. Cocteau : *Orphée*.	Évacuation de la Rhénanie.

JEAN GIRAUDOUX ET SON TEMPS (de 1928 à 1944)

	la vie et l'œuvre de Jean Giraudoux	le mouvement intellectuel et artistique	les événements historiques
1928	*Siegfried*, 4 actes, mise en scène à la Comédie des Champs-Élysées de Louis Jouvet (3 mai).	B. Zimmer : *les Oiseaux*. J. Cocteau : *Œdipe roi* et *Antigone*. G. B. Shaw : *Sainte Jeanne* (par les Pitoëff).	Pacte Briand-Kellogg : mise hors la loi de la guerre. Loi sur les Assurances sociales.
1929	*Amphitryon 38*, 3 actes, mise en scène de Jouvet à la Comédie des Champs-Élysées.	P. Valéry : *Variété*, II. M. Achard : *Jean de la Lune*. Mort de Courteline.	Début de la crise économique. Accords de Latran : Cité du Vatican. Plan Young. Mort de Clemenceau.
1930	Essai sur *Racine*. *Les Aventures de Jérôme Bardini*. *Rues et visages de Berlin*. *Fugues sur Siegfried*.	J. Cocteau : *Thomas l'Imposteur*. H. Bremond : *Racine et Valéry*. A. Salacrou : *Patchouli*.	Conférence de Londres : limitation des armements navals.
1931	*Judith*, 3 actes, mise en scène de Jouvet au théâtre Pigalle. Préface à *Bêtes*.	J. Cocteau : *le Sang du poète*. J. Anouilh : *l'Hermine*.	Fin du septennat de G. Doumergue.
1932	*La France sentimentale*. *Berlin*.	A. Obey : *le Viol de Lucrèce*. P. Raynal : *la Francerie*. Début des *Hommes de bonne volonté*, de J. Romains.	Assassinat de P. Doumer. Élection d'A. Lebrun. Conférence du désarmement. Franklin Roosevelt élu président des Etats-Unis.
1933	*Intermezzo*, 3 actes, musique de Poulenc, mise en scène de Jouvet à la Comédie des Champs-Élysées.	A. Malraux : *la Condition humaine*. P. Valéry : *Regards sur le monde actuel*. Colette : *la Chatte*.	Fin de la république de Weimar. Hitler chancelier du Reich. Pacte à Quatre. Affaire Stavisky.
1934	*Combat avec l'ange*. *Tessa*, adaptation française de la pièce de Kennedy et Dean, 3 actes. Inspecteur des postes diplimatiques.	É. Bourdet : *les Temps difficiles*. J. Cocteau : *la Machine infernale*. H. de Montherlant : *les Célibataires*.	Mort de Raymond Poincaré. 6 février : émeute place de la Concorde. Assassinat d'Alexandre Ier, roi de Yougoslavie, et de Barthou, à Marseille.
1935	*Supplément au voyage de Cook*, 1 acte. *La guerre de Troie n'aura pas lieu*, 2 actes, mise en scène de Jouvet à l'Athénée.	Prise de position politique du surréalisme. A. Salacrou : *l'Inconnue d'Arras*. S. Passeur : *Je vivrai un grand amour*.	Plébiscite de la Sarre, qui opte pour l'Allemagne. Décrets-lois Laval. Attaque de l'Éthiopie par l'Italie. Sanctions contre l'Italie.
1936	Refuse, au bénéfice d'E. Bourdet, le poste d'administrateur de la Comédie-Française que lui offre Jean Zay	*L'Ecole des femmes*, de Molière, montée par Jouvet. A. Breton : *l'Amour fou*.	Élections favorables au Front populaire. L'Allemagne réoccupe la Rhénanie.

CLASSIQUES LAROUSSE

Collection fondée en 1933 par FÉLIX GUIRAND
continuée par
LÉON LEJEALLE (1949 à 1968) et JEAN-POL CAPUT (1969 à 1972)
Agrégés des Lettres

JEAN GIRAUDOUX

LA GUERRE DE TROIE N'AURA PAS LIEU

pièce en deux actes

(texte intégral)

avec une Notice biographique, une Notice historique et littéraire, des Notes explicatives, une Documentation thématique, des Jugements, un Questionnaire et des Sujets de devoirs,

par

YVES MORAUD
Assistant à la Faculté des Lettres de Brest

LIBRAIRIE LAROUSSE
17, rue du Montparnasse, 75298 PARIS

RÉSUMÉ CHRONOLOGIQUE DE LA VIE DE JEAN GIRAUDOUX (1882-1944)

1882 (29 octobre) — Naissance à **Bellac** (Haute-Vienne) de Jean Giraudoux, fils de Léger Giraudoux, conducteur des Ponts et Chaussées, et d'Anne Lacoste, sans profession.

1893 — Jean Giraudoux obtient une bourse pour le lycée de Châteauroux.

1900 (octobre) — Entré au lycée Lakanal à Paris, en première supérieure, il s'y montre brillant élève.

1902-1903 — Service militaire.

1903 — Jean Giraudoux entre à l'École normale supérieure. Charles Andler, maître de conférences, puis directeur d'études, lui révèle le romantisme allemand; Giraudoux publie à la fin de 1904 son **premier texte littéraire :** *le Dernier Rêve d'Edmond About,* marqué par l'influence très nette d'Hoffmann.

1905-1906 — Séjour en Allemagne.

1906 — Jean Giraudoux est nommé lecteur à l'université Harvard; il est conquis par l'Amérique; il s'y comporte en dandy.

1908 — Du 27 septembre 1908 au 30 mars 1910, il publie **neuf contes** dans **le Matin;** le 9 décembre 1910 et le 27 juin 1911, il en publie **deux autres** dans **Paris-Journal.**

1909 — Publication des *Provinciales,* recueil de nouvelles dont la plus grande partie parut en revue dès 1908.

***

1910 — Jean Giraudoux entre dans la diplomatie en se présentant au « petit concours » des Affaires étrangères. Il fait rapidement la connaissance de Philippe Berthelot, qui devient son protecteur.

1911 — *L'Ecole des indifférents.*

1913 — Il reçoit le grade de vice-consul de troisième classe (6 septembre).

1914 — Giraudoux part pour la guerre. Il est sergent. Il entreprend la rédaction de carnets de route qui deviendront ***Lectures pour une ombre.***

Le 16 septembre, il est blessé « à l'aine et sur l'Aisne », et est évacué à Fougères, puis à Bordeaux, où il retrouve des amis parisiens repliés.

1915 — Blessé de nouveau sur le front d'Orient, il est évacué en France, où il est fait chevalier de la Légion d'honneur à titre militaire (31 juillet). — C'est le premier écrivain français décoré pour faits de guerre. Il passe huit mois à Paris, attaché au cabinet de Briand, dont Berthelot est le chef.

1916 — Envoyé en mission au Portugal, puis en Amérique : il est instructeur au régiment de Harvard (1916-1917).

1917 — *Lectures pour une ombre.* Rentré en France, Giraudoux est promu capitaine.

1918 — *Simon le Pathétique,* premier roman de nature autobiographique. Giraudoux épouse Mme Suzanne Bolland.

1919 — *Amica America, Elpénor.* Giraudoux est démobilisé et rentre au Quai d'Orsay. Il est nommé secrétaire d'ambassade de troisième classe (1er mai).

ISBN 2-03-870-056-7

La publication du présent ouvrage a été autorisée par les Editions Bernard Grasset.

1920 — Nommé chef de section au Service des œuvres françaises à l'étranger (18 septembre). — Publication d'*Adorable Clio.*

1921 — Secrétaire d'ambassade de deuxième classe. Naissance de son fils Jean-Pierre. ***Suzanne et le Pacifique.***

1922 — Heurt entre Berthelot et Poincaré; Giraudoux est en butte à l'hostilité de ce dernier. ***Siegfried et le Limousin.***

1924 — ***Juliette au pays des hommes.*** — Nommé secrétaire d'ambassade à Berlin (7 mai), Giraudoux revient à Paris comme chef des services d'information et de presse.

1925 — Secrétaire d'ambassade de première classe (5 avril).

1926 — ***Bella*** : caricature de Poincaré sous les traits de Rebendart. Succès du livre. Poincaré exile Giraudoux dans un bureau d'une annexe parisienne du ministère des Affaires étrangères.

***

1927 — *Eglantine.*

1928 — Rencontre de Jouvet. *Siegfried*, à la Comédie des Champs-Elysées, mise en scène de Louis Jouvet (3 mai). Giraudoux est promu conseiller d'ambassade le 24 juillet.

1929 — ***Amphitryon 38,*** à la Comédie des Champs-Elysées; mise en scène de Louis Jouvet (8 novembre).

1930 — ***Les Aventures de Jérôme Bardini.***

1931 — ***Judith,*** au théâtre Pigalle; mise en scène de Louis Jouvet (4 novembre).

1932 — ***La France sentimentale.*** Giraudoux est chargé de mission au cabinet du ministre (E. Herriot).

1933 — ***Intermezzo,*** à la Comédie des Champs-Elysées (27 février).

1934 — ***Combat avec l'ange. Tessa*** (d'après *la Nymphe au cœur fidèle*), à l'Athénée (mercredi 14 novembre). Giraudoux est nommé inspecteur des postes diplomatiques et consulaires. Série de conférences : ***la Française et la France.***

1935 — ***Supplément au voyage de Cook,*** à l'Athénée, sous la direction de Louis Jouvet (21 novembre). ***La guerre de Troie n'aura pas lieu,*** à l'Athénée, mise en scène de Louis Jouvet (21 novembre).

1937 — ***Electre,*** à l'Athénée, sous la direction de Louis Jouvet (13 mai). ***L'Impromptu de Paris,*** à l'Athénée (4 décembre).

1938 — ***Cantique des cantiques,*** à la Comédie-Française (12 octobre). ***Les Cinq Tentations de La Fontaine.***

1939 — ***Ondine,*** à l'Athénée, sous la direction de Louis Jouvet (27 avril). ***Choix des élues. Pleins pouvoirs.*** Giraudoux est nommé commissaire à l'Information. L'année suivante, il se retire à Cusset.

1941 — ***Littérature, la Duchesse de Langeais*** (film).

1942 — ***L'Apollon de Marsac*** (qui deviendra ***l'Apollon de Bellac***), créé par Louis Jouvet, le 16 juin, au théâtre municipal de Rio de Janeiro. Conférences.

1943 — ***Sodome et Gomorrhe,*** au théâtre Hébertot; mise en scène de Douking (11 octobre).

1944 — **Mort** de Giraudoux à **Paris.**

Jean Giraudoux avait quatorze ans de moins qu'Edmond Rostand, Paul Claudel, Alain; treize ans de moins qu'André Gide; onze ans de moins que Marcel Proust et Paul Valéry; neuf ans de moins que Charles Péguy, Alfred Jarry et Colette; deux ans de moins que Guillaume Apollinaire. Il est né la même année que H. R. Lenormand et Charles Vildrac. Il avait trois ans de plus que Jules Romains et François Mauriac; quatre ans de plus qu'Edouard Bourdet et Louis Jouvet; six ans de plus que J.-J. Bernard et Paul Morand; neuf ans de plus que Jean Cocteau.

JEAN GIRAUDOUX ET SON TEMPS (de 1882 à 1927)

	la vie et l'œuvre de Jean Giraudoux	le mouvement intellectuel et artistique	les événements historiques
1882	Naissance à Bellac (29 octobre).	H. Becque : *les Corbeaux.*	Lois sur l'école laïque obligatoire.
1890	Fréquente l'école de Cérilly.	Théâtre symboliste; théâtre d'art de Paul Fort.	Scandale de Panama. Première automobile, 1891.
1893	Interne boursier au lycée de Châteauroux.	G. Courteline : *Boubouroche.* Mort de Gounod, de Taine, de Maupassant.	1re condamnation de Dreyfus.
1900	Rhétorique supérieure au lycée Lakanal à Sceaux.	Edm. Rostand : *l'Aiglon.* M. Barrès : *l'Appel au soldat.*	2e condamnation de Dreyfus. Expulsion des congrégations.
1903	Entre à l'École normale supérieure, rue d'Ulm.	Mort de Gauguin. Exposition des Arts orientaux.	Ministère Combes (1902-1905).
1904	*Le Dernier Rêve d'Edmond About,* nouvelle.	Colette : *Dialogues de bêtes.*	Guerre russo-japonaise.
1905	Visite l'Allemagne comme boursier d'agrégation.	Fauvisme : H. Matisse, Dufy, Vlaminck, Van Dongen.	Séparation de l'Église et de l'État. Guillaume II à Tanger; menace de guerre.
1906	Lecteur à l'université Harvard.	H. Bergson : *l'Evolution créatrice.* P. Claudel : *Partage de midi.*	1906-1909, ministère Clemenceau.
1907	*La Pharmacienne,* signée Jean-Emmanuel Manière. Secrétaire au *Matin* de Bunau-Varilla.	Mort d'A. Jarry, de Grieg.	
1909	*Provinciales* (remarquées par un article de Gide).	Mort de Ch.-L. Philippe. Fondation de la N.R.F. M. Maeterlinck : *l'Oiseau bleu.*	Béatification de Jeanne d'Arc.
1911	*L'Ecole des indifférents.* Attaché au Bureau d'étude de la presse étrangère.	P. Claudel : *l'Otage.* Tournant du cubisme.	Guerre balkanique. Constitution alsacienne. Menace allemande sur Agadir.
1914	Mobilisé en Alsace comme sergent d'infanterie. « Blessé à l'aine et sur l'Aisne. »	P. Eluard : *Poèmes.* Mort de Ch. Péguy et d'Alain-Fournier. J. Copeau au Vieux-Colombier.	Attentat de Serajevo. Canal de Panama. 6-13 sept., bataille de la Marne.
1915	D'hôpital en dépôt. Les Dardanelles. Légion d'honneur. Sous-lieutenant	R. Rolland : *Au-dessus de la mêlée.*	Revers orientaux. Entrée en guerre de

1937	*Electre*, 2 actes, mise en scène de Jouvet à l'Athénée; *L'Impromptu de Paris*, 1 acte.	J. Cocteau : *les Chevaliers de la Table ronde*. Alain : *Souvenirs de guerre*. Mort de Ravel. *La Grande Illusion* (film).	Exposition internationale de Paris.
1938	*Cantique des cantiques*, 1 acte, décor de Vuillard, mise en scène de Jouvet au Français. *Les Cinq Tentations de La Fontaine*.	J. Anouilh : *la Sauvage*, *le Bal des voleurs*. F. Mauriac : *Asmodée*. A. Salacrou : *La terre est ronde*. M. Achard : *le Corsaire*. J.-P. Sartre : *la Nausée*.	Annexion de l'Autriche par l'Allemagne. Décrets-lois Daladier. Visite officielle des souverains anglais. Accords de Munich.
1939	*Ondine*, 3 actes, mise en scène de Jouvet à l'Athénée, musique de Sauguet. *Choix des élues*. *Le Futur Armistice*. *Pleins Pouvoirs*. Commissaire général à l'Information.	Saint-Exupéry : *Terre des hommes*.	1er sept., invasion de la Pologne par l'Allemagne. 3 sept., déclaration de guerre de l'Angleterre et de la France à l'Allemagne.
1940	*Armistice à Bordeaux* (21 juin). Quitte l'Information, se retire à Cusset.	J. Cocteau : *les Monstres sacrés*. J. Anouilh : *Leocadia*.	10 mai, invasion de la Belgique par l'Allemagne. 18 juin, appel de De Gaulle; 22 juin, armistice.
1941	*Littérature*. *La Duchesse de Langeais* (film). Vit séparé des siens entre Paris et Vichy. Directeur littéraire chez Gaumont.	J. Anouilh : *Eurydice*. J. Paulhan : *les Fleurs de Tarbes*. Mort de Bergson.	22 juin, attaque de l'U. R. S. S. par l'Allemagne. 7 déc., déclaration de guerre des États-Unis au Japon; 11 déc., à l'Allemagne et à l'Italie.
1942	*L'Apollon de Marsac*, 1 acte, joué par Jouvet à Rio de Janeiro. Conférences en Suisse : *Visitations*. Rentrée à Paris.	H. de Montherlant : *la Reine morte*. A. Camus : *le Mythe de Sisyphe*.	Charte de l'Atlantique. Procès de Riom.
1943	*Sodome et Gomorrhe*, 2 actes, mise en scène de Douking au théâtre Hébertot, musique d'A. Honegger.	J.-P. Sartre : *les Mouches* (par Dullin). J. Cocteau : *Renaud et Armide*. G. Neveux : *Voyage de Thésée*.	Stalingrad. Destitution de Mussolini. Conférence de Téhéran. Loi sur le service du travail obligatoire.
1944	*Hommage à Marivaux*. *Ecrit dans l'ombre*. *Les Anges du péché* (film). Mort de J. Giraudoux à Paris (31 janvier).	J.-P. Sartre : *Huis clos*. J. Cocteau : *l'Eternel Retour* (film). J. Anouilh : *Antigone*. Mort de R. Rolland.	6 juin, débarquement allié en France. 19-24 août, insurrection et libération de Paris.

BIBLIOGRAPHIE SOMMAIRE

ŒUVRES DE JEAN GIRAUDOUX

Contes et nouvelles.

Provinciales (Paris, Grasset, 1909).
L'Ecole des indifférents (Paris, Grasset, 1911).
Elpénor (Paris, Émile-Paul, 1919).
La France sentimentale (Paris, Grasset, 1932).
Contes d'un matin (Paris, Gallimard, 1952 [œuvre posthume; remarques liminaires par Laurent Le Sage]).

Récits de guerre.

Lectures pour une ombre (Paris, Émile-Paul, 1917).
Adieu à la guerre (Paris, Grasset, 1919).
Amica America (Paris, Émile-Paul, 1919).
Adorable Clio (Paris, Émile-Paul, 1920).
Futur Armistice (Paris, Grasset, 1939).
Armistice à Bordeaux (Monaco, Le Rocher, 1945 [œuvre posthume]).

Essais littéraires.

Racine (Paris, Grasset, 1930).
Bêtes, collection « Images du monde » (Paris, Firmin-Didot, 1931).
Préface à *Louis Jouvet et le théâtre d'aujourd'hui* de Claude Cézan (Paris, Émile-Paul, 1938).
Littérature (Paris, Grasset, 1941).
Préface au *Théâtre complet de Marivaux* (« Les Classiques verts », Paris, Éditions nationales, 1946).
Les Cinq Tentations de La Fontaine (Paris, Grasset, 1938).

Conférences.

Pleins Pouvoirs (Paris, Gallimard, 1939).
La Française et la France (Paris, Gallimard, 1951 [œuvre posthume]).
Visitations (Paris, Grasset, 1952 [œuvre posthume]).

Essais politiques (œuvres posthumes).

Ecrit dans l'ombre (Monaco, Le Rocher, 1944).

Sans pouvoirs (Monaco, Le Rocher, 1946).
De Pleins Pouvoirs à Sans Pouvoirs (Paris, Gallimard, 1950).

Romans.

Simon le Pathétique (Paris, Grasset, 1918).
Suzanne et le Pacifique (Paris, Émile-Paul, 1921).
Siegfried et le Limousin (Paris, Grasset, 1922).
Juliette au pays des hommes (Paris, Émile-Paul, 1924).
Bella (Paris, Grasset, 1926).
Églantine (Paris, Grasset, 1927).
La Grande Bourgeoise ou Toute femme a la vocation (Paris, Sagittaire, 1928).
Les Aventures de Jérôme Bardini (Paris, Émile-Paul, 1930).
Combat avec l'ange (Paris, Grasset, 1934).
Choix des élues (Paris, Grasset, 1938).
La Menteuse (Paris, Grasset, 1958; éd. définitive, 1969).

Théâtre.

Siegfried (Paris, Grasset, 1928).
Fugues sur Siegfried (Paris, Lapina, 1929).
Fin de Siegfried (Paris, Grasset, 1934).
Variantes : Siegfried von Kleist (Neuchâtel, Ides et Calendes).
Amphitryon 38 (Paris, Grasset, 1929).
Judith (Paris, Émile-Paul, 1931).
Intermezzo (Paris, Grasset, 1933).
Tessa (Paris, Grasset, 1934).
La guerre de Troie n'aura pas lieu (Paris, Grasset, 1935).
Supplément au voyage de Cook (Paris, Grasset, 1937).
Electre (Paris, Grasset, 1937).
L'Impromptu de Paris (Paris, Grasset, 1937).
Cantique des cantiques (Paris, Grasset, 1938).
Ondine (Paris, Grasset, 1939).
Sodome et Gomorrhe (Paris, Grasset, 1943).
La Folle de Chaillot (Paris, Grasset, 1946 [œuvre posthume].
L'Apollon de Bellac (Paris, Grasset, 1947).
Théâtre complet de Jean Giraudoux (Neuchâtel et Paris, Ides et Calendes, 1946-1948, 15 volumes [dont 4 de « Variantes »]).
Pour Lucrèce (Paris, Grasset, 1953 [œuvre posthume]).
Les Gracques (Paris, Grasset, 1958, inachevée).

Films.

Le Film de « la Duchesse de Langeais » (Paris, Grasset, 1942).

Le Film de Béthanie (les Anges du péché) [Paris, Gallimard, 1944].

ÉTUDES SUR JEAN GIRAUDOUX ET SUR SON ŒUVRE

Claude Edmonde Magny	*Précieux Giraudoux* (Paris, Seuil, 1945).
Louis Barjon	*Giraudoux, magicien désenchanté* (*Études*, 1954).
Marianne Mercier-Campiche	*le Théâtre de Jean Giraudoux et la condition humaine* (Paris, Domat, 1954).
Chris Marker	*Giraudoux par lui-même* (Paris, Seuil, 1954).
Jean Debidour	*Jean Giraudoux* (Paris, Éditions universitaires, 1955).
M.-L. Bidal	*Giraudoux, tel qu'en lui-même* (Paris, Corréa, 1956).
René-Marill Albérès	*Esthétique et morale chez Giraudoux* (Paris, Nizet, 1957) ; *la Genèse de Siegfried de Jean Giraudoux* (Paris, Lettres modernes, 1963).
Aurel David	*Vie et mort de Jean Giraudoux* (Paris, Flammarion, 1967).

CHAPITRES CONSACRÉS À JEAN GIRAUDOUX DANS :

Jean-Paul Sartre	*Situations I* (Gallimard, 1947).
René-Marill Albérès	*la Révolte des écrivains d'aujourd'hui* (Paris, Corréa, 1949).
Claude Roy	*Descriptions critiques* (Paris, Gallimard, 1949).
André Dumas	*Giraudoux et la tragédie du couple* (Paris, *Esprit*, mai 1955).
Gabriel Marcel	*l'Œuvre théâtrale* (Paris, Plon, 1959).
Xavier Tilliette	*Existence et littérature* (Paris, Desclée de Brouwer, 1961).
Gilbert van De Louw	*la Tragédie grecque dans le théâtre de Giraudoux* (Nancy, Centre universitaire européen, 1967).
Jacques Robichez	*le Théâtre de Giraudoux* (Paris, C. D. U.-S. E. D. E. S., 1976).

LA GUERRE DE TROIE N'AURA PAS LIEU
1935

NOTICE

CE QUI SE PASSAIT EN 1935

■ ***EN POLITIQUE. À l'intérieur :*** *Albert Lebrun est président de la République depuis trois ans. L'agitation sociale du pays va s'accroître avec la politique économique faite par Laval, de juillet à octobre, qui vise à réduire de 10 p. 100 le traitement des fonctionnaires.*

À l'extérieur : *Pierre Laval signe à Rome un accord avec Mussolini, que les Chambres françaises ratifient les 22 et 26 mars. En avril, un nouvel accord avec l'Italie, auquel se joint l'Angleterre, est signé à Stresa. En mai, la France et l'U. R. S. S. concluent un traité d'assistance mutuelle.*

À l'étranger : *En Allemagne, Hitler occupe depuis deux ans le poste de chancelier du Reich. Il fait voter les lois racistes de Nuremberg, reconstitue une armée et récupère la Sarre par plébiscite. — L'Italie envahit l'Ethiopie en octobre. — En Pologne, fin de la dictature de Pilsudski.*

■ ***EN LITTÉRATURE.*** *Période féconde au point de vue théâtral, où Dullin, Baty, Jouvet et les Pitoëff montent, entre autres, Labiche, Musset et le jeune Anouilh. Malraux publie* le Temps du mépris, *Montherlant* Service inutile, *Francis Carco* Brumes, *Aragon* Pour un réalisme socialiste.

Henri Barbusse meurt à Moscou, après avoir écrit un ouvrage sur Staline.

■ ***DANS LES ARTS.*** *A l'Opéra de Paris se donne* Icare, *légende chorégraphique orchestrée par Szufer sur des rythmes de Lifar.*

■ ***DANS LES SCIENCES.*** *La photocellule est appliquée au cinéma parlant. Le ballon stratosphérique d'Andersen et Stevens plafonne à 22 066 m d'altitude.*

LE THÉÂTRE DE JEAN GIRAUDOUX

GÉNÉRALITÉS

En 1928, Giraudoux devient dramaturge et fait jouer *Siegfried*. Presque tous les ans, jusqu'à sa mort, il présente une nouvelle pièce au public, comédie ou tragédie.

Romancier trop prolixe, Giraudoux, sans s'en douter, était doué pour le théâtre, et il eut la chance de bénéficier en la personne de Louis Jouvet d'un conseiller avisé et d'un acteur de grand talent, en qui il trouvait, à l'occasion, un « inspirateur ». *Siegfried* devait être un « four », ce fut un triomphe.

L'ESTHÉTIQUE THÉÂTRALE DE GIRAUDOUX

Pour Giraudoux, « la question du théâtre et du spectacle, qui a joué un rôle capital et parfois décisif dans l'histoire des peuples, n'a rien perdu de son importance à une époque où le citoyen voit se multiplier, du fait de la journée de huit ou sept heures, son temps de loisir et de distraction. Le spectacle est la seule forme d'éducation morale ou artistique d'une nation. » (Discours prononcé en 1931 devant les anciens élèves du lycée de Châteauroux.) Le sentiment qu'avait Giraudoux de la mission historique et sociale du théâtre est, selon Édouard Bourdet, la base de toute son œuvre. Il commande en effet le choix de ses sujets et l'attention qu'il accorde à un style chargé, selon sa propre expression, de « passer sur les âmes froissées par la semaine, comme le fer sur le linge » (*l'Impromptu de Paris,* scène III). C'est en poète — en poète exigeant — que Giraudoux définit le théâtre. Celui-ci « n'est pas un théorème, mais un spectacle, pas une leçon, mais un philtre » (*l'Impromptu de Paris,* scène III).

De là son dégoût pour le réalisme et le populisme, pour les adultères, les drames mondains et les dialogues en langage parlé.

Giraudoux a su d'emblée que le théâtre n'était pas une représentation simple et limitée de la vie, qu'il ne nous renvoyait pas directement notre image et que, s'il prétendait offrir de l'intérêt et conduire à quelque vérité, il lui fallait s'écarter des apparences, prendre sur le monde le recul d'un presbyte, c'est-à-dire sembler délibérément faux : « Si la pendule sonne cent deux heures, fait-il dire à Raymone dans *l'Impromptu de Paris* (scène première), ça commence à être du théâtre. » Feignant de croire que les jeunes filles pouvaient donner des rendez-vous à un spectre, qu'un Dieu déguisé en mendiant ou qu'un archange aux ailes lustrées n'étaient pas déplacés parmi les hommes, convaincu surtout que la réalité doit être saisie, recréée à travers le prisme d'un langage pur et original auquel il se confie comme à un talisman, Giraudoux a composé un théâtre poétique où le dépaysement, la fantaisie, l'humour, la musique des mots et le ballet des métaphores jouent un rôle prépondérant.

« Le mot *comprendre* n'existe pas au théâtre, dit-il dans *l'Impromptu de Paris* (scène III), le bonheur est que le vrai public ne comprend pas, il ressent. [...] Puisque vous êtes au théâtre, c'est-à-dire dans un lieu d'heureuse lumière, de beau langage, de figures imaginaires, savourez ce paysage, les fleurs, les forêts, les hauteurs et les pentes du spectacle, tout le reste est géologie. » Il est bien vrai que la ronde des « jeunes filles en fleur » d'*Intermezzo,* la féerie d'*Ondine* et partout le chatoiement des mots, le crépitement des images toujours neuves constituent ce spectacle poétique qui promet aux spectateurs cet envoûtement d'un soir dont rêvait Jean Giraudoux.

Cette poésie sans laquelle il ne concevait pas l'œuvre dramatique, l'auteur d'*Electre* la trouvait d'abord dans les mythes grecs, dans les textes sacrés, dans les légendes, c'est-à-dire dans ces sources diverses où il puisait son inspiration. Tout en sacrifiant comme Cocteau et Gide, ses contemporains, à une mode de l'entre-deux-guerres, Giraudoux emprunte la démarche de Corneille et de Racine, qui voyaient dans la mythologie de l'Antiquité et dans l'histoire ancienne un répertoire inépuisable de thèmes et de situations dramatiques. Il n'y a donc de sa part ni anachronisme ni originalité : il y a bien plutôt une fidélité à une tradition, qui, d'ailleurs, s'accompagne d'une certaine paresse d'invention.

Cependant, pour Giraudoux, mythes et légendes ont l'inappréciable mérite d'être déjà du réel transposé, autrement dit de la poésie. Au poète qui a besoin pour composer ses pièces d'avoir un modèle sous les yeux, ils proposent une matière hautement élaborée, filtrée, ordonnée, possédant déjà les caractères de l'œuvre d'art. C'est ainsi que *La guerre de Troie n'aura pas lieu, Electre, Judith, Sodome et Gomorrhe* s'inspirent d'œuvres épiques ou dramatiques célèbres, que *Pour Lucrèce* reprend le grand sujet romain du *Viol de Lucrèce*, qu'*Ondine* est empruntée à un conte de Lamotte-Fouqué. Avec *Siegfried* et *Tessa*, Giraudoux recourt au même procédé, se contentant, dans le premier cas, de transposer son propre roman *Siegfried et le Limousin* et, dans le second, d'adapter le roman de Margaret Kennedy : *la Nymphe au cœur fidèle*. Au commencement, pour Giraudoux, exception faite pour quelques pièces, il n'y a pas la chose ou l'action, il y a le verbe, le sien ou celui d'un autre.

La donnée même de ses œuvres exclut tout réalisme. La légende projette sur le réel une lumière indirecte, grecque, « biblique », ou romantique; elle se donne pour un déguisement dont le poète joue comme à plaisir et qu'il tient pour la forme originelle du jeu théâtral. En même temps, comme le constate Thierry Maulnier dans la Préface du *Profanateur*, la mise en œuvre théâtrale d'une fiction garantit à l'artiste une « liberté plus grande à l'égard du « réalisme » des événements, des mœurs, du langage, la possibilité d'un style métaphorique ». Cette liberté, nécessaire à toute création artistique, Giraudoux n'a cessé de la revendiquer et de la traduire dans les faits. Comme s'il craignait de refermer ses pièces sur un problème net, bien délimité, impliquant dans la conduite de l'action une logique trop rigoureuse, Giraudoux a construit son œuvre sur ces deux postulats : « l'architecture dramatique » est « la sœur articulée de l'architecture musicale »; « il n'y a pas de sujets, il n'y a que des thèmes ». Cela signifie, comme il ne s'est pas fait faute de le démontrer dans ses œuvres, notamment dans *Ondine*, où un magicien amène hors du temps les scènes qu'il a envie de voir, que Giraudoux préfère à une composition dramatique traditionnelle, logique, rationnelle, une composition musicale, plus fantaisiste, où il se plaît à orchestrer des thèmes qui viennent à leur moment s'insérer dans une harmonie d'ensemble.

Comme bon nombre de grandes tragédies, cependant, ses pièces, à quelques exceptions près, côtoient le fait divers. *Siegfried,* c'est l'histoire, parmi d'autres, d'un amnésique de la Grande Guerre, *La guerre de Troie n'aura pas lieu,* c'est d'abord le plus célèbre fait divers de l'Antiquité : le rapt d'une femme. Mais l'anecdote centrale, chez Giraudoux, n'est guère évoquée pour elle-même; elle devient le prétexte d'un jeu d'idées et de symboles, l'illustration objective, célèbre, de thèmes qui lui sont chers.

Car le théâtre de Giraudoux, tout poétique qu'il soit, est « essentiellement un théâtre d'idées » (E. Bourdet : *le Théâtre de Giraudoux*). L'auteur de *Siegfried* a eu l'ambition d'exprimer son époque, mais les problèmes qu'il évoque sont éternels, et les réponses qu'il apporte dominent de si haut l'actualité qu'elles restent valables encore aujourd'hui, et sans doute le seront-elles toujours demain. De tous les thèmes qu'il a traités, le premier par ordre chronologique et par ordre d'importance est certainement la guerre.

La guerre dans le théâtre de Giraudoux.

Elle rôde derrière chaque mot de *Siegfried,* se colore de rose dans *Amphitryon 38,* de noir dans *Judith,* où elle rythme la marche de Judith vers Holopherne, devient réalité obsédante dans *La guerre de Troie n'aura pas lieu,* orchestre tragiquement l'intransigeance d'*Electre,* et s'achève, le 11 octobre 1943, dans *Sodome et Gomorrhe* sur une apocalypse... qui en préfigurait une autre. D'*Amphitryon 38,* où Giraudoux définit la paix « comme l'intervalle entre deux guerres », à *Sodome et Gomorrhe,* « c'est le mal des empires [...], il est mortel », en passant par la sinistre prédiction de Cassandre : « C'était la dernière... la suivante t'attend », Giraudoux n'a cessé d'acheminer les esprits à la perspective, peu réjouissante, d'un conflit armé et, qui sait?, de la fin du monde. Dans *Siegfried,* la guerre est essentiellement la maladie du couple, de ce couple France-Allemagne en qui Giraudoux a remisé ses aspirations contradictoires et qu'il veut complémentaires : le goût d'un ordre restreint et parfait, l'amour d'une perspective indéfinie; son provincialisme et son cosmopolitisme, son classicisme et son romantisme. Par cette pièce, le poète tente une réconciliation : « Vous savez ce que je pense de nos deux pays, la question de leur concorde est la seule question grave de l'univers » (fin de *Siegfried*).

Du divorce qui les sépare, l'Allemagne et la France sont également responsables, l'une en devenant « brutale, sanguinaire, dure aux faibles », l'autre par son insouciance, l'oubli de ses devoirs : « Tous les maux de l'Europe viennent de cette ignorance de la France pour l'Allemagne ». (Acte premier, scène V.) Mais le mal n'est pas irrémédiable. La grande chance de la France et de l'Allemagne, c'est Siegfried, ce jeune Français amnésique, devenu Allemand au lendemain de la guerre : « Il serait excessif, dit-il, que dans une âme humaine, où cohabitent les vices et les vertus les plus contraires, seuls le mot « Allemand » et le mot « Français » se refusent à composer. Je me refuse, moi, à creuser des tranchées à l'intérieur de moi-même ». (Acte IV, scène III.) Voilà cette science nouvelle que nous propose Giraudoux : créer, dix ans après la guerre, cet esprit franco-allemand où chacun s'ouvrant à autrui n'abdique rien de son originalité. Entre l'optimisme de *Siegfried* et le pessimisme foncier de *Sodome et Gomorrhe* se situe *La guerre de Troie n'aura pas lieu,* où, pour la première fois, Giraudoux s'interroge sans détour sur l'origine de la guerre.

Le thème de la guerre dans « La guerre de Troie n'aura pas lieu ».

Sous son titre paradoxal, la pièce équivaut à un pari, ou plutôt à un défi que l'homme jette à la face de l'homme et du destin. Avant de savoir quelle en est l'issue et qui est responsable, demandons-nous ce que Giraudoux pense de la guerre. Dans *La guerre de Troie n'aura pas lieu,* il ne balance pas, comme dans *Adorable Clio,* entre l'amour et la haine — « O toi, je hais qui t'aime et je hais qui te déteste » —, il passe de l'amour à la haine. Longtemps la guerre a sonné juste pour Hector, mais, sans qu'il en sache exactement les raisons, elle s'est mise à sonner faux. Les sortilèges tombent. La guerre se voit découronnée de son aura divine. Il reste à l'ancien combattant mué en pacifiste une lassitude infinie, une soif désespérée de lumière, de repos, de paix — « Laisse-nous, dit Hector à Priam, prendre pied sur le moindre carré de paix, effleurer la paix une minute, fût-ce de l'orteil! » (II, V) — l'horreur de la tuerie, le dégoût devant une entreprise à fabriquer des héros, le mépris des vieillards, fauteurs de guerre. Il lui reste aussi la lucidité. Lucide comme Cassandre, Giraudoux n'est pas dupe de cette illusion de bonheur à laquelle s'accroche Andromaque (scène première).

Il sait maintenant qu'il faut « tenir compte de deux bêtises, celle des hommes et celle des éléments » (acte premier, scène première). Des hommes, c'est-à-dire des foules nationalistes faciles à abuser, des faux intellectuels en mal de symboles et de mythes; des éléments, c'est-à-dire du destin dont Hélène est l'instrument, et de la fatalité historique, confuse et sournoise, qui pèse de toutes ses implications économiques, sociales et psychologiques. Les dieux ridiculisés, l'histoire, dans *La guerre de Troie n'aura pas lieu,* apparaît aux côtés d'Hélène comme la forme moderne du destin, image des forces et des hasards qui échappent au contrôle de l'homme. Qui, alors, est responsable de la guerre? Hélène, pas plus qu'Hector, ne décide de la guerre. La décision est prise hors d'eux, au niveau du destin et de l'histoire collective : « Mais quand le destin, depuis des années, a surélevé deux peuples [...], l'univers sait bien qu'il n'entend pas préparer ainsi aux hommes deux chemins de couleur et d'épanouissement, mais se ménager son festival, le déchaînement de cette brutalité et de cette folie humaine qui seules rassurent les dieux. » (II, XIII.) Pour la première fois, dans *La guerre de Troie n'aura pas lieu,* Giraudoux en est venu à admettre la fatalité de la guerre. De *Siegfried* à *La guerre de Troie n'aura pas lieu,* Giraudoux a descendu la pente de la désillusion. Il croyait en l'homme, il n'y croit plus, car il a vu grandir derrière lui, pour l'écraser, l'ombre d'un destin peut-être plus redoutable encore que le fatum antique.

La guerre de Troie n'aura pas lieu, avec ses sursauts, ses faux espoirs, est essentiellement l'expression d'une lente agonie. Incapable d'enrayer le cours inéluctable des événements, l'homme ne peut que leur donner un sens. C'est du moins ce que pense Andromaque : « Aimez Pâris! [...] Alors la guerre ne sera plus qu'un fléau, pas une injustice. » (II, VIII.) Mince consolation! L'époque moderne peut reconnaître dans *La guerre de Troie* sa propre tragédie. Ce qui nous apparaît essentiel, c'est l'accent mis par Giraudoux sur le jeu complexe des forces obscures et collectives qui gouvernent les individus, sur cette fatalité de la sottise qui fait sa part à la folie accidentelle d'un ivrogne et à laquelle toute une littérature dite « de l'absurde » nous a habitués, sur l'étonnement, les réticences de l'homme qui découvre, comme on entre dans un cauchemar, la précarité de sa situation dans l'univers. Hector n'est pas seulement un ancien combattant de bonne volonté, il est, au théâtre, le premier qui se heurte vraiment au monde moderne et constate en lui une inertie, une complexité qui le défient.

ANALYSE DE LA PIÈCE

(Les scènes principales sont indiquées entre parenthèses.)

■ *ACTE PREMIER.* **En dépit de quelques chances de paix...**

Tandis que les Troyens attendent l'envoyé des Grecs qui vient réclamer Hélène enlevée par Pâris, Andromaque, confiante dans le pacifisme d'Hector, affirme que la guerre de Troie n'aura pas lieu.

Cassandre, qui tient seulement compte de deux bêtises, « celle des hommes et celle des éléments », relève le défi. A la tête de son armée, Hector rentre victorieux de la dernière guerre et se montre bien décidé à écarter la nouvelle, qui menace du fait du rapt d'Hélène par Pâris **(scène III).** Il envoie Andromaque demander un entretien à Priam, alors que Pâris se présente juste à point. Constatant que l'irréparable n'a pas été commis, il fait pression sur Pâris pour que celui-ci accepte le départ d'Hélène. Pâris, déçu et offusqué, résiste et déclare s'en remettre à Priam. Hector s'en réjouit, mais Cassandre l'avertit que Priam est « fou d'Hélène » **(scène IV).** En attendant l'arrivée de Priam, les vieillards de Troie, édentés et rouges de concupiscence, se livrent à leur sport favori : contempler et acclamer Hélène **(scène V).** L'entrée de Priam, escorté de nombreux personnages, ouvre une scène capitale au cours de laquelle Priam, le poète Demokos, le géomètre font devant Hector, Andromaque et Hécube, tour à tour indifférents et irrités, l'éloge de la beauté que symbolise Hélène et l'apologie de la guerre. Sous le regard incrédule de Priam, Hector finit cependant par convaincre Pâris de laisser partir Hélène, si elle-même y consent **(scène VI).** Toutefois, avant de laisser Hector et Hélène en tête à tête, Pâris, triomphant, fait promettre à Hélène de ne jamais retourner en Grèce.

Celle-ci tient bien mal sa promesse, car, après avoir abusé Hector par des considérations pittoresques et désenchantées sur Ménélas et Pâris, qu'elle « voit » plus ou moins bien, et sur les hommes, qu'elle aime frotter contre elle « comme de grands savons » **(scène VIII),** elle finit par accepter de lui obéir, c'est-à-dire de partir. Tandis qu'Hector soupçonne qu'il vient de remporter une fausse victoire, un messager des Grecs vient lui annoncer que les navires des Grecs sont en vue **(scène IX).** La dernière scène voit Hélène et Cassandre comparer leur don de prophétie, Cassandre fait apparaître la paix, mais celle-ci est « pâle », « malade ».

■ *ACTE II.* ... la guerre de Troie aura lieu.

L'acte s'ouvre sur une scène de coquetterie. Hélène, parée d'un prestige de femme fatale, joue de sa séduction auprès du jeune Troïlus, qui est amoureux d'elle. Elle poursuit son jeu devant Pâris, d'abord jaloux, puis moqueur. Demokos vient ensuite faire « poser » Hélène, en vue de composer un chant sur son visage. Hécube a hâte de voir fermer les portes de la guerre, mais les bellicistes s'emploient à doubler l'ivresse physique des soldats par l'ivresse morale en les dotant d'un chant de guerre et d'un lot d'insultes qui doivent leur assurer la victoire sur les Grecs. La scène s'achève sur la confusion de Demokos, première victime de la guerre des « épithètes » qu'il a déclenchée **(scène IV).** Pendant qu'on ferme enfin les portes de la guerre, une clameur annonce l'arrivée des Grecs, mais Demokos déclare qu'ils ne débarqueront pas, l'honneur national étant en jeu ; Hector enjoint alors au juriste neutre Busiris de donner des faits (la présentation de la flotte grecque devant le port de Troie) une version susceptible d'écarter le conflit. Poussé par le géomètre, qui pense que « cela » le fera réfléchir, Hector prononce son discours aux morts. Les Grecs débarquent au moment où se ferment les portes **(scène V).** Hélène confirme son départ à la petite Polyxène, mais Andromaque, qui craint que la guerre ait tout de même lieu, vient la supplier d'aimer Pâris, afin que la lutte ait un sens et que l'avenir soit fondé « sur l'histoire d'un homme et d'une femme qui s'aimaient » **(scène VIII).** Survient Oiax, complètement ivre, qui veut châtier Pâris; il l'injurie et frappe Hector, qui reste impassible.

Demokos cherche à exploiter cette « affaire de guerre », provoque Oiax et, en retour, se fait gifler par le Grec, puis par Hector, qui veut le faire taire. Oiax, impressionné par le sang-froid d'Hector, lui promet son aide pour la défense de la paix.

Ulysse, l'ambassadeur grec, se montre très exigeant; Pâris, Hélène, Hector écartent le danger avec courage, mais sont trahis par les gabiers de Pâris, qui ont « tout vu ». La cause de la guerre semble l'emporter quand Jupiter, intervenant après Aphrodite et Pallas, ordonne de « laisser face à face les négociateurs » **(scène XII).** Ulysse expose à Hector que le destin veut la guerre, mais il l'assure de ses propres intentions pacifiques; il regagne son navire **(scène XIII).**

La guerre semble écartée, mais un malheureux incident vient tout remettre en question : Demokos, qui veut exciter les Troyens contre les Grecs en poussant son chant de guerre, est tué par Hector.

Mais, avant de succomber, il accuse Oiax de l'avoir assassiné. Les Troyens se saisissent d'Oiax et le massacrent.

La guerre de Troie aura lieu **(scène XIV).**

LES SOURCES DE « LA GUERRE DE TROIE N'AURA PAS LIEU »

a) **Le mythe.**

Comme *Electre, La guerre de Troie n'aura pas lieu* est inspirée d'un mythe antique. Sous son titre paradoxal, cette tragédie évoque un fait légendaire universellement connu depuis Homère, la guerre déclarée par les Grecs aux Troyens à la suite du rapt d'Hélène par Pâris. Un tel sujet laissait, sauf pour le dénouement, le champ libre à l'imagination du dramaturge, car, en dehors des innombrables allusions aux origines et aux péripéties de la guerre de Troie, il n'apparaît pas, pour une fois, que Giraudoux ait trouvé pour modèle une pièce traitant directement et complètement ce sujet. De plus, comme on l'a maintes fois souligné, le poète a sauvegardé sa liberté et affirmé son originalité en se préoccupant non pas de la guerre elle-même, mais de la période qui la précède immédiatement.

Trouvant dans la légende homérique un cadre dramatique très souple et des personnages au seuil de leur vie mythique, Giraudoux pouvait donc, deux ans après *Intermezzo,* mais cette fois dans un registre tragique, faire de *La guerre de Troie n'aura pas lieu* une authentique œuvre de création.

b) **L'actualité.**

La guerre de Troie n'aura pas lieu a pour thème la guerre. Or la guerre, c'est l'affaire du siècle. La première s'estompait à peine quand déjà la seconde s'annonçait. En 1933, liquidant la république de Weimar, Hitler devient chancelier du Reich. En 1935, l'année même de *La guerre de Troie n'aura pas lieu,* l'Italie mussolinienne attaque l'Éthiopie.

En 1936, l'Allemagne provoque la France, qui ne bronche pas, en réoccupant la Rhénanie. Autant d'événements qui jetaient le désordre dans les consciences, inquiétaient les pacifistes et mettaient en « transes » les nationalistes.

Giraudoux était admirablement placé pour prendre la température de son époque. Sergent, il a vécu la Première Guerre mondiale; diplomate, il a pressenti la Seconde. *La guerre de Troie n'aura pas lieu,* inscrite entre ces deux bornes sanglantes de l'histoire de l'humanité, se nourrit de son expérience de combattant et des inquiétudes du fonctionnaire du Quai d'Orsay. Elle est le témoignage d'un homme qui savait mieux que quiconque que la paix était un « intervalle entre deux guerres » (*Amphitryon 38,* acte premier, scène II), l'expression d'une décennie où les esprits les plus lucides et les hommes de bonne volonté étaient pris de vitesse et voués à l'impuissance par cette fatalité du monde moderne : l'histoire.

L'ACTION DANS « LA GUERRE DE TROIE N'AURA PAS LIEU »

Giraudoux a la réputation d'être un dramaturge désinvolte qui sacrifie volontiers l'essentiel à la fioriture, le mouvement à la pause. Ce n'est pas totalement vrai, car, à y regarder de plus près, sous les arabesques apparentes on décèle généralement une intrigue bien nouée et conduite avec habileté. *La guerre de Troie n'aura pas lieu* ne fait pas exception à cette règle.

Pour se plier à l'usage de l'entracte unique, de plus en plus répandu dans les théâtres parisiens, Giraudoux a divisé sa pièce en deux actes seulement. Toute l'action de la pièce est subordonnée au personnage d'Hector. Dès son entrée en scène (acte premier, scène II), celui-ci est décidé à mettre tout en œuvre en vue d'éviter la guerre : mais de chaque victoire qu'il remporte, il sent, comme il le dit lui-même, que « l'enjeu s'envole » (acte II, scène XI), et chaque fois il se voit contraint de reprendre un combat dont il attend vainement une issue heureuse. En fait, avec une conscience de plus en plus aiguë des dangers qui menacent, il court de sursis en sursis jusqu'à la catastrophe finale. *La guerre de Troie n'aura pas lieu* repose sur une victoire, ou, ce qui revient au même, sur une défaite d'Hector, sans cesse différée.

Derrière ses concetti et ses méandres philosophiques, le premier acte apparaît comme un acte d'exposition, où les scènes s'enchaînent selon l'esthétique traditionnelle de la tragédie classique. Comme chez Racine, le rideau se lève sur une crise : Hélène a été enlevée, un envoyé grec vient la réclamer; la guerre menace. L'action proprement dite de la pièce se déclenche avec l'arrivée d'Hector et la décision qu'il prend de rendre Hélène aux Grecs. Elle progresse à la scène IV, où Hector obtient de Pâris, le principal intéressé, qu'il s'en remette à Priam. Une nouvelle étape est franchie quand Hector, en présence de Priam et des bellicistes hostiles (scène VI), fait accepter à Pâris le départ d'Hélène. Enfin, dernier événement important de l'acte premier : Hector convainc Hélène, l'autre principale intéressée, de lui obéir (scène IX). Peu de temps perdu, en somme : les scènes de « pause », où Giraudoux nous met au courant des situations, nous renseignent sur la psychologie des personnages; les idées qu'ils défendent, ou qu'il défend à travers eux, n'entravent pas la progression d'une action qui se suit facilement au début de l'acte II; l'action se relâche (scènes I-II-III). Puis elle se développe avec : *a*) la contre-attaque des bellicistes (scène IV); *b*) la pression brutale d'Hector sur ces mêmes bellicistes, qui s'achève par la fermeture des portes de la guerre. Avec la plus grande habileté, Giraudoux ménage une pause dans l'évolution du drame (scène VI-VII-VIII), créant en nous une attente et nous préparant à vivre avec l'arrivée des Grecs les derniers moments d'une action qui ne va cesser de s'accélérer. A partir de la scène IX, le conflit s'élargit et se déroule désormais entre Grecs et Troyens. Les événements se succèdent : Hector, fidèle à sa politique, doit surmonter l'obstacle Oiax (scène IX), puis l'obstacle Demokos (scène X), puis, plus difficile encore, l'obstacle Ulysse. Au moment où nous respirons, un coup de théâtre se produit; Oiax d'abord, Demokos enfin remettent en question la victoire d'Hector, la guerre de Troie aura lieu.

L'action, dans cette tragédie, est bien rythmée par les démarches du héros. Du fait de son désir de restituer Hélène aux Grecs, il apparaît comme l'élément moteur de la pièce. On peut se demander, toutefois, s'il n'est pas amené plus à réagir qu'à agir, s'il n'est pas contraint constamment d'ajuster ses actes à des circonstances (rapt d'Hélène) et à des actions (attitude des bellicistes, d'Hélène, des Grecs) qui ne dépendent pas de lui et qui, cependant, s'exercent sur lui. L'acteur principal de la pièce, celui qui anime contre Hector « Hélène l'indifférente », Oiax, l'ivrogne, et Demokos, le démagogue, c'est le Destin. Les événements que nous avons considérés et qui jalonnent l'action ne sont que les visages changeants, spectaculaires des rencontres d'Hector avec la fatalité. Hector méritait mieux pour finir que cet ultime et sinistre mensonge de Demokos; mais l'action progresse, ralentit, se précipite jusqu'à ce finale absurde et dérisoire, au gré d'un destin, qui, pratiquant une petite politique, voit dans l'homme un jouet qu'il brise quand et comme il lui plaît.

Telle quelle, l'action de *La guerre de Troie n'aura pas lieu* ne manque pas de rigueur et, qualité plus rare, nous restitue parfaitement la démarche sournoise d'un destin multiforme. En s'inspirant d'un mythe antique célèbre, Giraudoux se privait pour son dénouement de cet intérêt que constitue l'ultime effet de surprise. La guerre de Troie, en dépit du titre de la pièce, ne pouvait pas ne pas avoir lieu. Le poète devait donc pallier l'absence de cet intérêt par un autre. Dans sa tragédie, il s'agit non pas de savoir si la guerre aura lieu, mais de savoir comment, selon quelles péripéties elle aura lieu.

L'absence de devanciers, qui auraient circonscrit une intrigue dans une forme « stéréotypée », permit à Giraudoux de déployer toute son ingéniosité. Elle fut pour lui l'occasion de rajeunir le mythe en mêlant aux données de la légende des épisodes de sa propre invention. L'intervention de Troïlus, le concours d'épithètes, la palinodie de Busiris, la scène des gabiers, les irruptions d'Oiax sont autant de nouveautés qui renouvellent la perspective des spectateurs les plus érudits sur l'enchaînement des événements.

Les éléments hétérogènes se fondent si bien dans le tissu vivant du poème dramatique que l'on ne distingue qu'avec peine ce qui appartient à Homère et ce qui revient à Giraudoux. Dramaturge plus exigeant qu'on ne l'imagine au premier abord, Giraudoux a poussé le raffinement jusqu'à obéir aux règles de l'unité de lieu et de l'unité de temps : tout s'accomplit dans la même ville en moins de vingt-quatre heures.

C'est pourquoi nous pouvons être d'accord avec Pierre Aymé Touchard lorsqu'il se réjouit de devoir au Giraudoux de *La guerre de Troie n'aura pas lieu* cette ivresse de la perfection formelle que lui procurent aussi les Eschyle, Sophocle, Shakespeare, Corneille et Racine *(Dionysos)*.

LE STYLE

Ce qui frappe peut-être le plus dans *La guerre de Troie n'aura pas lieu,* c'est la virtuosité d'un écrivain qui joue sur tous les registres du style, selon les personnages et les scènes. Son vocabulaire, d'une richesse incomparable, mêle au vocabulaire abstrait du psychologue, du moraliste ou du métaphysicien les vocabulaires concrets ou techniques de l'homme de sciences (le géomètre), de l'homme de loi (Busiris), quand ce n'est pas celui de la vie quotidienne la plus prosaïque. Au niveau du vocabulaire, *La guerre de Troie n'aura pas lieu,* comme les autres pièces de Giraudoux, est vraiment le kaléidoscope où apparaissent toutes les provinces de la vie et de la nature, les métiers, les espèces animales et végétales. Le poète dresse un inventaire savant, historique des ressources de l'univers.

Plus insolite encore, l'emploi, dans la tragédie, de tout un vocabulaire de grammairien — « mot », « phrase », « affirmatives », « symbole », « épithètes », etc. : le commentateur semble l'emporter sur le dramaturge.

L'extrême variété du vocabulaire de *La guerre de Troie n'aura pas lieu* traduit, à coup sûr, un élargissement de l'univers de la tragédie en même temps qu'un renouvellement de l'esthétique classique. Tout aussi variée et d'une incidence plus directe sur le style, la gamme des procédés de rhétorique. (Voir le tableau des procédés les plus fréquents.) Les définitions, jeux de mots, anachronismes et tournures parodiques abondent dans cette pièce. On les trouve particulièrement dans les « scènes de pause », où Giraudoux, oublieux des exigences de l'action, se livre aux joies de la fantaisie verbale (acte premier, scènes I à VI), et dans la bouche de certains personnages : Cassandre pour les définitions, le géomètre pour les anachronismes, Demokos pour les considérations grammaticales, Pâris pour les parodies. En dehors de quelques plaisanteries, la langue d'Hector n'est guère encombrée de procédés de ce genre.

Si l'on prend la tragédie racinienne pour exemple, il apparaît évident que ce mélange de langages, de tons et les effets cocasses qui en découlent sont déplacés dans une tragédie. Giraudoux, en effet, donne souvent l'impression de prendre ses distances par rapport au style tragique traditionnel. Par ses parodies, il nous rend complices de son entreprise; par un vocabulaire familier et pittoresque, par les anachronismes qui font des héros grecs nos contemporains, Giraudoux enracine la tragédie dans le siècle, dans le monde du quotidien. Il nous donne surtout « l'exemple le plus parfait d'un univers entièrement créé par le langage » (Cl. E. Magny, *Précieux Giraudoux*). La réalité tragique obsède le poète ; mais le réalisme tragique a pour lui trop d'horreurs. Son verbe est l'exact reflet de cette tentation et de cette peur. Le poète ne supprime pas les réalités qui lui sont insupportables; ou bien il les équilibre d'un poids d'humour, d'ironie, de jeux d'esprit, ou bien il les transfigure par la poésie — Hector lutte désespérément, mais Hélène introduit un climat d'opérette (acte premier, scènes VII-VIII); la guerre menace, mais un gabier inspiré chasse notre angoisse en nous faisant rêver à un bouleau (acte II, scène XII). En fait, Giraudoux est sans illusion. Ce qui doit être sera. Le verbe ne peut rien contre l'inéluctable, le voile qu'il jette sur les choses, les obstacles qu'il dresse, les pauses qu'il ménage n'empêchent pas le destin de s'accomplir. C'est avec les armes du précieux et du diplomate, avec les subtilités du langage que Jean Giraudoux plaide inlassablement la cause de l'homme contre les dieux ou le destin et qu'il remporte des victoires à la Pyrrhus.

C'est aussi par le biais du langage que la tragédie est célébration de l'homme, expression d'une grandeur tout humaine qui ne se fonde pas moins sur les mots et la phrase choisis par les héros que sur les valeurs qu'ils défendent.

LA FATALITÉ DANS « LA GUERRE DE TROIE N'AURA PAS LIEU »

Le mécanisme de la fatalité dans *La guerre de Troie n'aura pas lieu* n'a apparemment pas la logique implacable de la fatalité grecque. Pierre Aymé Touchard le déplore en disant que « l'événement n'a pas racine dans un enchaînement rigoureux d'événements antérieurs conduisant à la catastrophe : il est lié à la sottise accidentelle d'un ivrogne [...]; la fatalité [...] est réduite à être la fatalité de la sottise » *(A la recherche de l'éternel Giraudoux)*. Elle n'en est peut-être que plus absurde et plus dangereuse. Évitons cependant de confondre les prétextes avec les causes et de donner à Oiax un rôle plus grand qu'il ne mérite. La fatalité dans *La guerre de Troie n'aura pas lieu,* c'est avant tout la fatalité historique. Elle apparaît comme l'image des forces et des hasards qui échappent à l'intervention humaine. Influencé par Tolstoï, Giraudoux découvre que la marche des événements s'effectue selon un plan préétabli, que les hommes ne sauraient modifier. Cette fatalité historique que le poète met en scène pour la première fois fait une large place aux facteurs économiques, psychologiques et politiques : « Les autres Grecs, déclare Ulysse (acte II, scène XIII), pensent que Troie est riche, ses entrepôts magnifiques, sa banlieue fertile. [...] L'or de vos temples, celui de vos blés et de votre colza ont fait à chacun de nos navires, de nos promontoires, un signe qu'il n'oublie pas... » Hector, Ulysse, quelle que soit leur bonne volonté, ne peuvent rien contre cette fatalité qui se déchiffre dans « les grandes lignes que sont, sur l'univers, les voies des caravanes, les chemins des navires, le tracé des grues volantes et des races » (acte II, scène XIII). Fatalité complexe, confuse, sournoise, véritable phénomène collectif qui réduit à néant toute tentative individuelle. Il y a en elle quelque chose d'inéluctable dont on ne prend pas immédiatement conscience. Ainsi donc la guerre est inévitable, non par suite du rapt d'Hélène et de l'ivresse d'Oiax, mais parce qu'elle s'inscrit dans une sorte de nécessité psycho-socio-économique. Normalement, cette fatalité est latente, mais il suffit que par un prétexte quelconque le temps soit accéléré — « le Destin [...] c'est simplement la forme accélérée du temps » (acte premier, scène première) — pour qu'elle revête son vrai visage et que l'homme entre en tragédie.

Les dieux alors se ridiculisent, et la créature humaine découvre avec angoisse et révolte la précarité de sa condition.

LES PERSONNAGES

La guerre de Troie n'aura pas lieu est plus une tragédie philosophique qu'une tragédie psychologique. Cependant, les personnages sont suffisamment typés et différenciés pour avoir du relief et exister par eux-mêmes. Ils se répartissent en trois groupes : les Troyens, les Grecs, les neutres.

Les Troyens.

Ils forment de loin le groupe le plus important et se divisent eux-mêmes en bellicistes et en pacifistes.

Hector. C'est le personnage essentiel de la pièce et le porte-parole de l'auteur. Fils de Priam, général victorieux, il prend en main, face au conflit qui menace, le destin de Troie. Ancien combattant, il déteste la guerre qu'il a aimée : « Pour quelle raison ? Est-ce l'âge ? Est-ce simplement cette fatigue du métier ?... » (acte premier, scène III). Il se mue en pacifiste acharné prêt à tout pour l'éviter. Avec sang-froid et une infinie bonne volonté, il cherche à résoudre un à un tous les problèmes que lui posent les bellicistes et Hélène, mais il découvre, à la fin, que « de chaque victoire l'enjeu s'envole » (acte II, scène XII). Tout entier à son désir de paix, confiant dans ses propres forces, et incapable de pénétrer ce qu'il appelle « les subtilités et les riens grecs » (acte II, scène IX), il n'a pas vu d'emblée en Hélène « l'otage du destin » (acte II, scène XIII). Faute d'avoir fait cette découverte, il prend les prétextes pour les causes, les apparences pour la réalité. Il mène jusqu'au bout le combat de l'humanité contre le destin sans trouver les moyens de le conjurer, parce qu'il n'a pas encore fait cette amère constatation que « le privilège des Grands c'est de voir les catastrophes d'une terrasse » (acte II, scène XIII). Sans le savoir, il intervient dans une partie dont les cartes sont truquées, et il perd. Sa faiblesse s'enracine dans cette intelligence un peu courte, dans ce courage, dans ces efforts agressivement terrestres avec lesquels il prétend régler le problème de la guerre. Mari parfait, défenseur de la bonne cause, généreux, obstiné, il n'a qu'un défaut, qui n'en est peut-être pas un aux yeux de Giraudoux, celui d'être humain, trop humain. Son plus beau titre de gloire sera d'être le représentant d'une humanité qui doit se défendre contre ses propres « bêtises » et contre celles des « éléments ». Confronté à l'irrationnel, Hector s'est trouvé embauché par la tragédie. A son insu, il est devenu un héros tragique.

Andromaque. Elle est tout à la fois l'épouse aimante d'Hector, son fidèle soutien, et la future mère inquiète pour l'avenir de son fils. Giraudoux l'a dotée de cette tendresse, de cette humanité qui faisaient le charme d'Alcmène. Femme, elle se définit « comme un pauvre tas d'incertitude, un pauvre amas de crainte » (acte premier, scène VI). Épouse, elle aime Hector d'un amour humble et passionné : « S'il était un pêcheur pied-bot, bancal, j'irais le poursuivre jusque dans sa cabane » (acte premier, scène VI). Son mariage a aussi fait d'elle un être en qui le destin ne saurait s'agiter. Aux côtés d'Hector, elle se veut donc créature essentiellement humaine, terrestre. Mettant toute sa confiance en son mari — « il arrive, Cassandre, il arrive! » (acte premier, scène première) —, elle veut d'abord croire que la guerre n'aura pas lieu. Mais son intelligence et sa clairvoyance, son instinct de femme surtout lui découvrent bientôt qu'elle aura lieu. A la manière d'Alcmène se défendant de Jupiter, elle s'en remet à l'amour, persuadée que « le destin ne s'attaque [pas] d'un cœur léger à la passion »... (acte II, scène VIII), et, pitoyable et pathétique, elle supplie Hélène d'aimer Pâris. Elle se méfie des grands sentiments, des paroles clinquantes, elle aime la sincérité, la vérité; courageuse, elle est prête, quoi qu'il lui en coûte, à accepter des blessures d'amour-propre pour que Troie reste en paix. Elle mène jusqu'au bout le même combat que son mari, parce qu'elle sait qu'il est juste. Elle ne se fait cependant guère d'illusion sur le comportement d'Hector, dont elle dit qu'il « suffit d'un lièvre pour le détourner du fourré où est la panthère » (acte II, scène VIII).

Andromaque n'est pas encore la veuve éplorée de Racine, elle n'est, dans *La guerre de Troie n'aura pas lieu,* qu'une jeune femme comblée, dont le bonheur se trouve menacé par le destin. Elle est au seuil de la tragédie.

Le couple Hector-Andromaque. Le couple, dans l'univers de Giraudoux, joue le rôle d'un véritable personnage. Seul le couple uni est capable de faire échec aux entreprises de Jupiter dans *Amphitryon 38* ou de sauver le monde de l'apocalypse dans *Sodome et Gomorrhe.* Andromaque-Hector forment dans *La guerre de Troie n'aura pas lieu* un « couple parfait » : le pendant du couple Alcmène-Amphitryon, l'opposé du couple Pâris-Hélène. Quand Hector et Andromaque vivent un amour vrai en passant « leur journée à se vaincre l'un l'autre », Pâris et Hélène vivent un simulacre d'amour « dans la bonne humeur, dans l'agrément, dans l'accord » (acte II, scène VIII). Les premiers ne sauraient accepter d'être désunis et en viennent à des moyens secrets pour se rejoindre, même « si tout espoir est perdu »; leur union au sein du couple fait en quelque sorte échec au destin. Les autres subissent « une aimantation », mais acceptent fort bien d'être séparés : le couple boiteux qu'ils forment donne au destin l'occasion d'intervenir.

Pâris. Frère d'Hector, il joue dans la famille nombreuse de Priam le rôle humiliant du fils séducteur. Son expérience lui a donné une grande intelligence de la psychologie féminine : « Elles ne consentent qu'à la contrainte, mais alors avec enthousiasme. » (Acte premier, scène IV.) Mais, le premier, Pâris n'a pas su voir en Hélène une femme dangereuse; jaloux à l'occasion, il ne s'encombre cependant pas d'un grand amour et accepte sans trop de difficultés de se séparer d'Hélène pour faciliter la tâche d'Hector. Pacifiste, il déteste les fauteurs de guerre, et décoche avec joie des épithètes cinglantes contre Demokos. Il ne manque pas de courage; pour éviter la guerre, il subit publiquement, sans broncher, les humiliations les plus infamantes que son amour-propre de séducteur puisse endurer. Son humour, son esprit d'à-propos, sa désinvolture, son désir d'être à la hauteur des circonstances (acte II, scène XII) font de lui un personnage sympathique.

Demokos, poète démagogue « de l'arrière », incarnation à la scène des Déroulède, des Barrès, qui n'ont cessé de forger à la France une âme guerrière, d'habiller de grands mots hypocrites, de symboles qui sonnent haut et clair (acte premier, scène VI) les affreux massacres de la Grande Guerre. Il n'a plus l'âge d'aller au combat, mais il rêve de jeter la jeunesse de Troie dans une guerre qu'il tâchera « de rendre sans merci » (acte II, scène IV). Tous les prétextes, tous les procédés lui seront bons. Ultra-nationaliste, il flaire partout les insultes faites à son pays et s'apprête à les exploiter pour déclencher une guerre. Il n'y réussit que trop bien. Giraudoux, qui le déteste, en a fait un personnage dangereux, mais plus encore grotesque. Il entre en transes dès qu'Hélène apparaît, écume, délire, confond intelligence et pédantisme, parle de grammaire comme Trissotin, s'agite plus qu'il n'agit et, pour finir, se fait insulter et gifler à peu près par tout le monde. A travers cette caricature comique qu'est Demokos, Giraudoux a fustigé les fabricants de fable, de chants de guerre, de mythes meurtriers, écrivains et journalistes impuissants pour qui la guerre est une façon d'aimer.

Cassandre. Devineresse, elle prévoit et prévient (acte premier, scène IV). Sa position en retrait lui permet de considérer les êtres et les événements avec ironie (acte premier, scène IV).

Priam. Giraudoux a fait de lui un roi plein de noblesse, mais qui a le tort d'épouser la cause de Demokos. Sans avoir la malignité de ce dernier, il représente une forme de pensée traditionnelle qui se nourrit de symboles et de sophismes moraux (acte premier, scène VI) dont Giraudoux dénonce le caractère pernicieux. Complètement dépassé par les événements, il se contente d'adopter une attitude réprobatrice ou condescendante à l'égard d'Hector, qu'il laisse mener le jeu.

Hécube. Epouse de Priam, c'est une maîtresse femme fort sympathique, qui apporte à la cause d'Hector le poids de son expérience et de son bon sens. Sans illusion sur les hommes, détestant les beaux parleurs, elle ne laisse aucun répit à sa bête noire Demokos, qu'elle larde de traits d'ironie, de formules méprisantes et meurtrières (acte premier, scène VI). Caustique et lucide, elle est, elle aussi, un porte-parole de l'auteur.

Troïlus. C'est le personnage épisodique qui apporte au spectateur une bouffée d'air frais. A peine plus âgé que Chérubin, il joue le rôle de jeune homme « amoureux d'une étoile ». Il est l'anti-Pâris, l'amoureux sincère en face du joueur, du libertin.

Les autres Troyens ne sont guère que des esquisses, des rôles conventionnels. Cependant, ils ne sont pas dépourvus d'intérêt.

Le géomètre, digne pendant de l'inspecteur d'*Intermezzo,* apporte à la folie des vieillards troyens la caution d'une science devenue poésie (acte premier, scène VI).

Les vieillards troyens, édentés et frénétiques, sont l'occasion d'une scène franchement cocasse. Les gabiers et les marins, alléchés par un spectacle dont ils ont été les témoins à l'insu des acteurs, laissent libre cours à leur gouaille et à leur esprit gaulois. Ils sont d'une irrésistible drôlerie. **La petite Polyxène** est l'inévitable petite fille de Giraudoux, la sœur de l'écolière d'*Intermezzo,* chargée de poser des questions naïves et embarrassantes aux grandes personnes, fascinée, elle aussi, par Hélène. **Les servantes** se contentent dans le sillage d'Hécube de se moquer de Demokos, et **les Troyens,** sans jamais jouer le rôle du chœur antique, apportent sur la scène la rumeur de la ville tout entière.

Les Grecs.

Ulysse. D'abord ambassadeur exigeant et tatillon, jouant de l'ironie et du mépris pour parvenir à ses fins, il est à la hauteur de sa réputation. Cependant, dans son tête-à-tête avec Hector, il dépasse son personnage légendaire. Le rusé Ulysse devient un homme de bonne volonté, sensible et humain, converti à la cause de la paix. Mais il est sans illusion sur ses compatriotes qui convoitent en Troie une riche proie. Intelligent, il a su découvrir les vraies causes de la guerre; fataliste, il devine que les jeux sont faits. La leçon de politique qu'il donne à Hector est d'un homme lucide, réaliste, désabusé.

Hélène. C'est la « femme fatale » de l'Antiquité. Enlevée par Pâris, elle mène les vieillards à la congestion, les jeunes gens au suicide, et Troie à la guerre. Très à l'aise dans sa liaison avec Pâris, elle considère le monde, les autres et elle-même avec indifférence, désinvolture, scepticisme : « Je n'aime pas beaucoup connaître [...] mes propres sentiments... » (Acte premier, scène IX.) Bien qu'elle se sache belle et ne dédaigne pas de séduire, elle accepte fort bien — par indifférence — de devenir une Hélène vieillie, avachie, édentée (acte II, scène VIII). Mais ce n'est pas tellement sa beauté qui en fait une femme à part; comme Électre, elle est une « femme à histoires », « l'une des rares créatures que le destin met en circulation sur terre pour son usage personnel » (acte II, scène XIII). Cette élection fatale lui vaut à son insu d'être étrange et solitaire parmi les hommes.

Oiax. Ivrogne, braillard, bagarreur, il n'est cependant pas antipathique (acte II, scène XI). Il sait reconnaître en Hector un homme de qualité, mais sa perpétuelle ivresse fait de lui un irresponsable dangereux.

Les neutres.

Busiris. Il est une caricature savoureuse et à peine forcée de ces juristes distingués, éminents spécialistes du droit des peuples, qui hantent les tapis verts des conférences internationales de la S. D. N., de l'O. N. U. et qui, la conscience en baudrier, n'ont pour tâche que de servir les puissants et de donner un fondement juridique à un état de fait.

Les dieux. Ils sortent de leur divin silence pour se ridiculiser. Neutres « au-dessus de la mêlée » et sans aucun pouvoir, ils donnent aux hommes le spectacle burlesque de leurs contradictions.

TABLEAU NON EXHAUSTIF DES PRINCIPAUX PROCÉDÉS STYLISTIQUES CARACTÉRISTIQUES DE LA PROSE DE GIRAUDOUX

PARODIES

— On ne tue bien que ce qu'on aime (acte premier, scène III).
— Cela fait plus grec (acte premier, scène IV).
— Un seul être vous manque, et tout est repeuplé (acte premier, scène IV).
— Quinze ans... Hélas! (acte II, scène II).
— J'ai dans la main un magnifique oiseau que je vais lâcher (acte II, scène IV).
— *Le discours de Busiris est la parodie des conférences internationales et du style juridique.*
— *Le discours aux morts : parodie des discours aux morts au lendemain de la Première Guerre mondiale.*
— [...] une Hélène vieillie, avachie, édentée, suçotant accroupie quelque confiture dans sa cuisine! (acte II, scène VIII).
— Rendons à Pâris ce qui revient à Pâris! (acte II, scène XII).

ANACHRONISMES

— Elle fait le chemin de ronde (acte premier, scène VI).
— Il n'y a plus de mètres, de grammes, de lieues. [...] Elle est notre baromètre, notre anémomètre! (acte premier, scène VI).
— De grands savons (acte premier, scène IX).
— Album de chromos (acte premier, scène IX).
— La haine est refoulée sur les écoles, les salons ou le petit commerce (acte II, scène IV).
— Constat *de visu* et enquête subséquente (également parodie) [acte II, scène V].
— Anciens combattants (acte II, scène V).
— Les vivants ont la vraie *cocarde*, la double *cocarde* (acte II, scène V).
— L'ilote de service (acte II, scène VIII).
— Un mari est subtil quand un scandale mondial... (acte II, scène XII).

PARADOXES

— Figure-toi un tigre. [...] C'est la métaphore pour jeunes filles (acte premier, scène première).
— On est tendre parce qu'on est impitoyable (acte premier, scène III).
— Elles ne consentent qu'à la contrainte (acte premier, scène IV).
— C'est du moins un héros qui détale (acte premier, scène VI).

JEUX DE MOTS — PLAISANTERIES

— Il aime les femmes distantes, mais de près (acte premier, scène IV).

— Tout est grand pour les petites femmes (acte premier, scène VI).
— C'est agréable de les [les hommes] frotter contre soi comme de grands savons.
— Vin de paix, [...] femme de paix (acte II, scène V).
— Radius en fer, cubitus à pivot (acte II, scène XI).

PROVERBES — RÈGLES

— Tuer un homme, c'est mériter une femme (acte premier, scène VI).
— Il n'y a pas deux façons de se rendre immortel ici-bas, c'est d'oublier qu'on est mortel (acte premier, scène VI).
— La première lâcheté est la première ride d'un peuple (acte premier, scène VI).
— Elle [la jeunesse] sera la vieillesse dans trente ans (acte premier, scène VI).
— Ceux qui vous attendent se découpent moins bien que ceux que l'on attend (acte premier, scène IX).
— Ce n'est pas en manœuvrant des enfants qu'on détermine le destin (acte premier, scène IX).
— Braves devant l'ennemi, lâches devant la guerre, c'est la devise des vrais généraux (acte II, scène IV).
— Le privilège des grands, c'est de voir les catastrophes d'une terrasse (acte II, scène XIII).

DÉFINITIONS (assez souvent drôles).

— [Le destin] c'est simplement la forme accélérée du temps (acte premier, scène première).
— [La femme] c'est un pauvre tas d'incertitude, etc. (acte premier, scène VI).
— L'homme en temps de guerre s'appelle le héros (acte premier, scène VI).
— [La Grèce] c'est beaucoup de rois et de chèvres éparpillés sur du marbre (acte premier, scène VIII).
— La guerre me semble la recette la plus sordide et la plus hypocrite pour égaliser les humains (acte II, scène V).
— La face arrogante et le cul plat, c'est tout grec... (acte II, scène XII).

RÉFÉRENCES À LA GRAMMAIRE

— Ayons recours aux *métaphores*.
— Tu as vu le destin s'intéresser à des phrases *négatives*.
— Jusqu'au lavoir qui affirme (acte premier, scène première).
— Un symbole, quoi! (acte premier, scène VI).
— Suppose que notre *vocabulaire* [...]. Suppose que le mot *délice* n'existe pas! (acte premier, scène VI).
— Écoute ce bloc de *négation* qui dit oui! (acte premier, scène IX).
— Il y a le mot *sang* [...]. Le mot *moisson* aussi (acte II, scène IV).
— Les *épithètes* [...] c'est grammaticalement correct (acte II, scène IV).

PERSONNAGES[1]

ANDROMAQUE	Mmes	FALCONETTI.
HÉLÈNE		MADELEINE OZERAY.
HÉCUBE		PAULE ANDRAL.
CASSANDRE		MARIE-HÉLÈNE DASTÉ.
LA PAIX		ANDRÉE SERVILANGES.
IRIS		ODETTE STUART.
SERVANTES ET TROYENNES		LISBETH CLAIRVAL. GILBERTE GÉNIAT. JACQUELINE MORANE.
LA PETITE POLYXÈNE		VÉRA PHARÈS.
HECTOR	MM.	LOUIS JOUVET.
ULYSSE		PIERRE RENOIR.
DEMOKOS		ROMAIN BOUQUET.
PRIAM		ROBERT BOGAR.
PÂRIS		JOSÉ NOGUERO.
OIAX		PIERRE MORIN.
LE GABIER		ALFRED ADAM.
LE GÉOMÈTRE		MAURICE CASTEL.
ABNÉOS		ANDRÉ MOREAU.
TROÏLUS		BERNARD LANCREY.
OLPIDÈS		JACQUES TERRY.
VIEILLARDS		PAUL MENAGER. HENRY LIBÉRÉ.
MESSAGERS		HENRI SAINT-ISLES. YVES GLADINE. JACQUES PERRIN.

Musique de scène composée pour la pièce
par Maurice Jaubert.

LA GUERRE DE TROIE N'AURA PAS LIEU
a été représentée pour la première fois le 21 novembre 1935
au théâtre de l'Athénée, sous la direction de Louis Jouvet.

1. A noter que le personnage de Busiris n'est pas mentionné.

LA GUERRE DE TROIE N'AURA PAS LIEU

PREMIER ACTE

Terrasse d'un rempart dominé par une terrasse et dominant d'autres remparts

SCÈNE PREMIÈRE. — ANDROMAQUE, CASSANDRE.

ANDROMAQUE. — La guerre de Troie n'aura pas lieu, Cassandre!

CASSANDRE. — Je te tiens un pari, Andromaque.

ANDROMAQUE. — Cet envoyé des Grecs a raison. On va bien le recevoir. On va bien lui envelopper sa petite Hélène, et on la lui rendra.

CASSANDRE. — On va le recevoir grossièrement. On ne lui rendra pas Hélène. Et la guerre de Troie aura lieu. (1)

ANDROMAQUE. — Oui, si Hector n'était pas là!... Mais il arrive, Cassandre, il arrive! Tu entends assez ses trompettes... En cette minute, il entre dans la ville, victorieux. Je pense qu'il aura son mot à dire. Quand il est parti, voilà trois mois, il m'a juré que cette guerre était la dernière[1].

CASSANDRE. — C'était la dernière. La suivante l'attend[2].

ANDROMAQUE. — Cela ne te fatigue pas de ne voir et de ne prévoir que l'effroyable?

CASSANDRE. — Je ne vois rien, Andromaque. Je ne prévois

---

1. Allusion à ce que prétendaient à l'époque de la pièce les anciens combattants de la Grande Guerre; 2. C'est ce qu'on commençait à murmurer dès 1833 (voir la définition de la paix donnée par Giraudoux dans *Amphitryon 38* [I, II]).

QUESTIONS

1. Sur quel ton commence la tragédie? A quel moment? — En quoi consiste l'habileté dramatique de Jean Giraudoux? — Cet échange contradictoire n'annonce-t-il pas les dissensions et les conflits qui vont ravager le camp troyen? Précisez le rôle d'Hélène.

rien. Je tiens seulement compte de deux bêtises, celle des hommes et celle des éléments. (2)

20 ANDROMAQUE. — Pourquoi la guerre aurait-elle lieu? Pâris ne tient plus à Hélène. Hélène ne tient plus à Pâris.

CASSANDRE. — Il s'agit bien d'eux.

ANDROMAQUE. — Il s'agit de quoi? (3)

CASSANDRE. — Pâris ne tient plus à Hélène! Hélène ne tient
25 plus à Pâris! Tu as vu le destin s'intéresser à des phrases négatives[1]?

ANDROMAQUE. — Je ne sais pas ce qu'est le destin.

CASSANDRE. — Je vais te le dire. C'est simplement la forme accélérée du temps. C'est épouvantable.

30 ANDROMAQUE. — Je ne comprends pas les abstractions. (4)

CASSANDRE. — A ton aise. Ayons recours aux métaphores. Figure-toi un tigre. Tu la comprends, celle-là? C'est la métaphore pour jeunes filles. Un tigre qui dort?

ANDROMAQUE. — Laisse-le dormir[2].

35 CASSANDRE. — Je ne demande pas mieux. Mais ce sont les affirmations qui l'arrachent à son sommeil. Depuis quelque temps, Troie en est pleine.

---

1. Le destin est action; or l'action est une sorte d'affirmation; 2. Procédé cher à Giraudoux, qui consiste à exprimer une vérité profonde (éviter de réveiller les forces mauvaises) sous forme de plaisanterie.

QUESTIONS

2. Que représente Hector pour Andromaque? Quels sentiments manifeste-t-elle? En quoi est-elle profondément et déjà pathétiquement humaine? — Cassandre se fait-elle des illusions? Définissez le ton de ses propos. Quelle est la nature de la double fatalité dénoncée par Cassandre? — Montrez que les dernières paroles de Cassandre portent le débat au niveau philosophique.

3. Le rapt d'Hélène par Pâris est-il pour Cassandre la vraie cause de la guerre? — L'incompréhension d'Andromaque ne préfigure-t-elle pas l'incompréhension d'Hector?

4. Par un mot, Cassandre donne à la pièce sa vraie dimension : montrez-le. Quel est ce mot? Quelle est cette dimension? — Analysez en quoi l'incompréhension d'Andromaque cache un refus, une peur. Rapprochez l'attitude d'Andromaque de celle d'Alcmène (*Amphitryon 38*, II, II). Ces considérations sur le langage vous semblent-elles à leur place dans une pièce de théâtre? En trouve-t-on dans les tragédies classiques? — S'agit-il bien en fait d'un même théâtre, ayant les mêmes préoccupations, destiné à un public de même type?

ANDROMAQUE. — Pleine de quoi?

CASSANDRE. — De ces phrases qui affirment que le monde et la direction du monde appartiennent aux hommes en général, et aux Troyens ou Troyennes en particulier... **(5)**

ANDROMAQUE. — Je ne te comprends pas.

CASSANDRE. — Hector en cette heure rentre dans Troie?

ANDROMAQUE. — Oui. Hector en cette heure revient à sa femme.

CASSANDRE. — Cette femme d'Hector va avoir un enfant[1]?

ANDROMAQUE. — Oui, je vais avoir un enfant.

CASSANDRE. — Ce ne sont pas des affirmations, tout cela?

ANDROMAQUE. — Ne me fais pas peur, Cassandre.

UNE JEUNE SERVANTE, *qui passe avec du linge.* — Quel beau jour, maîtresse!

CASSANDRE. — Ah! oui? Tu trouves?

LA JEUNE SERVANTE, *qui sort.* — Troie touche aujourd'hui son plus beau jour de printemps.

CASSANDRE. — Jusqu'au lavoir qui affirme!

ANDROMAQUE. — Oh! justement, Cassandre! Comment peux-tu parler de guerre en un jour pareil? Le bonheur tombe sur le monde!

CASSANDRE. — Une vraie neige.

ANDROMAQUE. — La beauté aussi. Vois ce soleil. Il s'amasse plus de nacre sur les faubourgs de Troie qu'au fond des mers. De toute maison de pêcheur, de tout arbre sort le murmure des coquillages. Si jamais il y a eu une chance de voir les hommes trouver un moyen pour vivre en paix, c'est

---

1. Astyanax. Cet enfant sert d'instrument de chantage à Pyrrhus dans l'*Andromaque* de Racine.

QUESTIONS

5. La métaphore du tigre n'est-elle pas l'équivalent des songes énigmatiques ou des prophéties dans les tragédies grecques ou classiques? — Cherchez dans *Siegfried*, *Electre* ou *Ondine* des métaphores semblables et qui jouent le même rôle. — Ne peut-on pas voir dans ce recours aux métaphores une sorte de conduite de détour? Cela ne fait-il pas trop divertissement de lettré? Giraudoux donne l'impression de jouer avec le spectateur, de l'égarer : quel effet ce langage produit-il sur vous? Le ton de ces échanges convient-il à une tragédie?

aujourd'hui... Et pour qu'ils soient modestes... Et pour qu'ils soient immortels[1]...

CASSANDRE. — Oui les paralytiques qu'on a traînés devant les portes se sentent immortels.

ANDROMAQUE. — Et pour qu'ils soient bons!... Vois ce cavalier de l'avant-garde se baisser sur l'étrier pour caresser un chat dans ce créneau... Nous sommes peut-être aussi au premier jour de l'entente entre l'homme et les bêtes. (6)

CASSANDRE. — Tu parles trop. Le destin s'agite, Andromaque!

ANDROMAQUE. — Il s'agite dans les filles qui n'ont pas de mari. Je ne te crois pas. (7)

CASSANDRE. — Tu as tort. Ah! Hector rentre dans la gloire chez sa femme adorée!... Il ouvre un œil... Ah! Les hémiplégiques se croient immortels sur leurs petits bancs!... Il s'étire... Ah! Il est aujourd'hui une chance pour que la paix s'installe sur le monde!... Il se pourlèche... Et Andromaque va avoir un fils! Et les cuirassiers[2] se baissent maintenant sur l'étrier pour caresser les matous dans les créneaux!... Il se met en marche!

1. Le thème de l'immortalité tient une grande place dans l'œuvre de Jean Giraudoux (voir *Amphitryon 38*, II, II); 2. *Cuirassiers :* anachronisme fréquent chez Giraudoux, qui actualise les mythes anciens (*Electre*, comme *La guerre de Troie n'aura pas lieu*, en est truffée).

QUESTIONS

6. Relevez tous les indices habituels du bonheur. Pourquoi Andromaque éprouve-t-elle le besoin de les accumuler? Vit-elle dans le rêve ou dans la réalité? N'y a-t-il pas à la fois quelque chose d'admirable, d'émouvant et de dérisoire dans l'attitude d'Andromaque? Face au scepticisme de Cassandre, l'optimisme d'Andromaque et de la servante n'a-t-il pas un accent tragique? — Andromaque parle beaucoup : pourquoi? — Hommes et dieux parlent-ils le même langage? En quoi consiste l'aveuglement d'Andromaque, si aveuglement il y a? — L'entente entre l'homme et les bêtes est un rêve constant chez Giraudoux : montrez qu'il le poursuit dans ses romans — *Suzanne et le Pacifique, Juliette au pays des hommes* — et dans ses pièces de théâtre : *Ondine, Supplément au voyage de Cook*, etc.

7. Pourquoi Cassandre dénonce-t-elle la prolixité d'Andromaque? Quelle défiance y a-t-il là à l'égard de la parole? Sur quoi se fonde-t-elle? — L'action tragique ne peut-elle pas apparaître comme une confrontation ou un conflit entre les desseins secrets du destin et le verbe impuissant de l'homme? — Quel rôle jouent les femmes dans le théâtre de Giraudoux? (Voir notamment *Amphitryon 38* [Alcmène], *Intermezzo* [Isabelle], *Judith, Electre, Ondine*.) N'y a-t-il pas une différence entre les jeunes filles et les femmes mariées? Laquelle?

85 ANDROMAQUE. — Tais-toi!

CASSANDRE. — Et il monte sans bruit les escaliers du palais. Il pousse du mufle les portes... Le voilà... Le voilà...

LA VOIX D'HECTOR. — Andromaque!

ANDROMAQUE. — Tu mens!... C'est Hector!

90 CASSANDRE. — Qui t'a dit autre chose? **(8) (9)**

SCÈNE II. — ANDROMAQUE, CASSANDRE, HECTOR.

ANDROMAQUE. — Hector!

HECTOR. — Andromaque!... *Ils s'étreignent.* A toi aussi bonjour, Cassandre! Appelle-moi Pâris, veux-tu. Le plus vite possible. *Cassandre s'attarde.* Tu as quelque chose à me dire?

5 ANDROMAQUE. — Ne l'écoute pas!... Quelque catastrophe!

HECTOR. — Parle!

CASSANDRE. — Ta femme porte un enfant. **(10)**

SCÈNE III. — ANDROMAQUE, HECTOR.

Il l'a prise dans ses bras, l'a amenée au banc de pierre, s'est assis près d'elle. Court silence.

QUESTIONS

8. Montrez que Cassandre et Andromaque ne parlent pas du même être et qu'elles finissent cependant par tomber d'accord : que signifie ce quiproquo? Hector est apparemment identifié au tigre : expliquez pourquoi.

9. SUR L'ENSEMBLE DE LA SCÈNE PREMIÈRE. — L'exposition : Giraudoux donne d'abord la parole aux femmes : pourquoi?
— Est-on déjà mis au courant de la situation? L'action est-elle engagée? Analysez comment l'arrivée d'Hector est préparée.
— Les digressions nuisent-elles à l'intérêt dramatique de la scène?
— Étudiez la convenance du ton avec la gravité des événements. Cette exposition est-elle conforme à l'esthétique de la tragédie classique (voir *Polyeucte*)?
— Y a-t-il vraiment dialogue entre Cassandre et Andromaque? Leur débat n'est-il pas plutôt un long malentendu qui préfigure l'aveuglement d'Hector à l'égard du destin?
— Quel jugement peut-on déjà porter sur Andromaque?

10. La première apparition d'Hector : quelle pensée précise et impérieuse l'habite? — Pourquoi la naissance d'un enfant est-elle assimilée par Cassandre à une catastrophe? N'y a-t-il pas ici une sorte de clin d'œil d'un lettré à un public cultivé qui connaît le développement du mythe?

HECTOR. — Ce sera un fils, une fille?

ANDROMAQUE. — Qu'as-tu voulu créer en l'appelant?

HECTOR. — Mille garçons... Mille filles...

ANDROMAQUE. — Pourquoi? Tu croyais étreindre mille
5 femmes?... Tu vas être déçu. Ce sera un fils, un seul fils.

HECTOR. — Il y a toutes les chances pour qu'il en soit un...
Après les guerres, il naît plus de garçons que de filles. **(11)**

ANDROMAQUE. — Et avant les guerres?

HECTOR. — Laissons les guerres, et laissons la guerre[1]... Elle
10 vient de finir. Elle t'a pris un père, un frère, mais ramené un
mari.

ANDROMAQUE. — Elle est trop bonne. Elle se rattrapera.

HECTOR. — Calme-toi. Nous ne lui laisserons plus l'occasion.
Tout à l'heure, en te quittant, je vais solennellement, sur la
15 place, fermer les portes de la guerre. Elles ne s'ouvriront plus.

ANDROMAQUE. — Ferme-les. Mais elles s'ouvriront.

HECTOR. — Tu peux même nous dire le jour!

ANDROMAQUE. — Le jour où les blés seront dorés et pesants,
la vigne surchargée, les demeures pleines de couples. **(12)**

20 HECTOR. — Et la paix à son comble, sans doute?

ANDROMAQUE. — Oui. Et mon fils robuste et éclatant.

Hector l'embrasse.

---

1. Le passage du pluriel au singulier porte le débat sur un plan général; le dialogue est à la fois d'ordre privé et exemplaire.

QUESTIONS

11. Le thème du fils associé à l'obsession de la guerre : à quel événement précis pense Giraudoux? De quelle manière l'a-t-il vécu? Comment en a-t-il parlé (voir *Lectures pour une ombre*, *Siegfried*)? *Elle t'a pris un père, un frère :* Giraudoux n'évoque-t-il que les guerres de l'histoire grecque? Se borne-t-il à constater ou condamne-t-il?

12. Quelle valeur faut-il attribuer ici au couple? Étudiez le rôle que joue généralement cette notion dans le théâtre de Giraudoux (voir *Amphitryon 38*, III, III-V; *Sodome et Gomorrhe*, II, VII). Andromaque croit maintenant que la guerre aura lieu : expliquez ce changement d'attitude. — Comparez ses propos avec ceux qu'elle tenait à la scène précédente. — Quand éclatera la guerre? Les paroles d'Andromaque ne trouvent-elles pas une caution dans l'histoire? Dans quels mois ont été déclarées les guerres de 1914-1918 et de 1939-1945? — La richesse, le bonheur sont-ils des garanties contre le malheur?

Phot. Bernand.

HECTOR (Pierre Vaneck) et ANDROMAQUE (Maria Mauban)
Théâtre national populaire, 1963.

HECTOR. — Ton fils peut être lâche. C'est une sauvegarde. **(13)**

ANDROMAQUE. — Il ne sera pas lâche. Mais je lui aurai coupé l'index de la main droite.

25 HECTOR. — Si toutes les mères coupent l'index droit de leur fils, les armées de l'univers se feront la guerre sans index... Et si elles lui coupent la jambe droite, les armées seront unijambistes... Et si elles lui crèvent les yeux, les armées seront aveugles, mais il y aura des armées, et dans la mêlée elles se 30 chercheront le défaut de l'aine, ou la gorge, à tâtons...

ANDROMAQUE. — Je le tuerai plutôt.

HECTOR. — Voilà la vraie solution maternelle des guerres.

ANDROMAQUE. — Ne ris pas. Je peux encore le tuer avant sa naissance.

35 HECTOR. — Tu ne veux pas le voir une minute, juste une minute? Après, tu réfléchiras... Voir ton fils?

ANDROMAQUE. — Le tien seul m'intéresse. C'est parce qu'il est de toi, c'est parce qu'il est toi que j'ai peur. Tu ne peux t'imaginer combien il te ressemble. Dans ce néant où il est 40 encore, il a déjà apporté tout ce que tu as mis dans notre vie courante. Il y a tes tendresses, tes silences. Si tu aimes la guerre, il l'aimera... Aimes-tu la guerre?

HECTOR. — Pourquoi cette question? **(14)**

ANDROMAQUE. — Avoue que certains jours tu l'aimes.

45 HECTOR. — Si l'on aime ce qui vous délivre de l'espoir, du bonheur, des êtres les plus chers...

ANDROMAQUE. — Tu ne crois pas si bien dire... On l'aime.

HECTOR. — Si l'on se laisse séduire par cette petite délégation que les dieux vous donnent à l'instant du combat...

QUESTIONS

13. Hector plaisante : le comique est-il franc? — Giraudoux ne veut-il pas nous imposer l'idée de la fatalité de la guerre (voir le Prélude de *Sodome et Gomorrhe*)?

14. Quels sont les moyens évoqués pour écarter la guerre? Sont-ils tous de pure invention? Certains n'ont-ils pas déjà été utilisés dans un passé récent? — Montrez l'absurdité de ces mutilations préventives. Empêchent-elles la guerre? Pourquoi? — En quoi, dans sa dernière question, Andromaque est-elle pathétique? Que cherche-t-elle à comprendre? Montrez qu'elle se comporte à la fois en mère et en épouse. Ne nous apparaît-elle pas comme une créature prise au piège? Sa dernière réplique est l'expression d'une grande tendresse : à quoi le voit-on?

50 ANDROMAQUE. — Ah? Tu te sens un dieu, à l'instant du combat?

HECTOR. — Très souvent moins qu'un homme... Mais parfois, à certains matins, on se relève du sol allégé, étonné, mué. Le corps, les armes ont un autre poids, sont d'un autre alliage. 55 On est invulnérable. Une tendresse vous envahit, vous submerge, la variété de tendresse des batailles : on est tendre parce qu'on est impitoyable; ce doit être en effet la tendresse des dieux. On avance vers l'ennemi lentement, presque distraitement, mais tendrement. Et l'on évite aussi d'écraser le 60 scarabée. Et l'on chasse le moustique sans l'abattre. Jamais l'homme n'a plus respecté la vie sur son passage...

ANDROMAQUE. — Puis l'adversaire arrive?...

HECTOR. — Puis l'adversaire arrive, écumant, terrible. On a pitié de lui, on voit en lui, derrière sa bave et ses yeux blancs, 65 toute l'impuissance et tout le dévouement du pauvre fonctionnaire humain qu'il est, du pauvre mari et gendre, du pauvre cousin germain, du pauvre amateur de raki[1] et d'olives qu'il est. On a de l'amour pour lui. On aime sa verrue sur sa joue, sa taie[2] dans son œil. On l'aime... Mais il insiste... Alors on 70 le tue.

ANDROMAQUE. — Et l'on se penche en dieu sur ce pauvre corps; mais on n'est pas dieu, on ne rend pas la vie.

HECTOR. — On ne se penche pas. D'autres vous attendent. D'autres avec leur écume et leurs regards de haine. D'autres 75 pleins de famille, d'olives, de paix.

ANDROMAQUE. — Alors on les tue?

HECTOR. — On les tue. C'est la guerre.

ANDROMAQUE. — Tous, on les tue?

HECTOR. — Cette fois nous les avons tués tous. A dessein. 80 Parce que leur peuple était vraiment la race de la guerre, parce que c'est par lui que la guerre subsistait et se propageait en Asie. Un seul a échappé.

---

1. *Raki :* alcool de riz, que l'on boit aujourd'hui dans les pays de l'Orient méditerranéen; anachronisme voulu; 2. *Taie :* par la précision, la banalité des détails qu'il retient, Giraudoux montre son attention extrême à tout ce qu'il y a de plus simplement humain (voir II, XIII, où Ulysse se décide à partir parce qu' « Andromaque a le même battement de cils que Pénélope »). Ce rappel de détails secondaires, mais auxquels il accorde une grande importance, l'a fait souvent taxer de préciosité.

ANDROMAQUE. — Dans mille ans, tous les hommes seront les fils de celui-là. Sauvetage inutile d'ailleurs... Mon fils aimera 85 la guerre, car tu l'aimes. **(15)**

HECTOR. — Je crois plutôt que je la hais... Puisque je ne l'aime plus.

ANDROMAQUE. — Comment arrive-t-on à ne plus aimer ce que l'on adorait? Raconte. Cela m'intéresse.

90 HECTOR. — Tu sais, quand on a découvert qu'un ami est menteur? De lui tout sonne faux, alors, même ses vérités... Cela semble étrange à dire, mais la guerre m'avait promis la bonté, la générosité, le mépris des bassesses. Je croyais lui devoir mon ardeur et mon goût à vivre, et toi-même... Et 95 jusqu'à cette dernière campagne, pas un ennemi que je n'aie aimé...

ANDROMAQUE. — Tu viens de le dire : on ne tue bien que ce qu'on aime[1].

HECTOR. — Et tu ne peux savoir comme la gamme de la 100 guerre était accordée pour me faire croire à sa noblesse. Le galop nocturne des chevaux, le bruit de vaisselle à la fois et de soie que fait le régiment d'hoplites[2], se frottant contre votre tente, le cri du faucon au-dessus de la compagnie étendue et aux aguets, tout avait sonné jusque-là si juste, si merveilleu-105 sement juste...

ANDROMAQUE. — Et la guerre a sonné faux, cette fois?

HECTOR. — Pour quelle raison? Est-ce l'âge? Est-ce simplement cette fatigue du métier dont parfois l'ébéniste sur son pied de table se trouve tout à coup saisi, qui un matin m'a

---

1. Peut-être traduction noble du proverbe familier « Qui aime bien châtie bien »;
2. *Hoplite* : soldat d'infanterie pesamment armé, dans l'antiquité grecque.

QUESTIONS

15. Apologie de la guerre par Hector : ses différents arguments. Comment s'explique pour Hector la fascination de la guerre? — Éclairez ces paradoxes : *On est tendre parce qu'on est impitoyable; on l'aime* [...] *alors on le tue.* — Hector ne souligne-t-il pas l'ambiguïté de la guerre, à la fois humaine et inhumaine (voir *Lectures pour une ombre*, *Adorable Clio*)? — Pris par ses souvenirs, Hector ne s'élève-t-il pas jusqu'à un certain lyrisme? Montrez que le style traduit les états d'âme très nuancés du personnage. — Place et signification des notations familières? — Relevez les traces de préciosité. Sont-elles gênantes? — Que recouvre le mot *Asie?* — Andromaque se fait-elle des illusions sur l'homme? Ne joue-t-elle pas à son tour le rôle de Cassandre? Quelle est, selon elle, la véritable cause de la guerre?

110 accablé, au moment où, penché sur un adversaire de mon âge, j'allais l'achever? Auparavant ceux que j'allais tuer me semblaient le contraire de moi-même. Cette fois j'étais agenouillé sur un miroir. Cette mort que j'allais donner, c'était un petit suicide. Je ne sais ce que fait l'ébéniste dans ce cas, s'il jette
115 sa varlope, son vernis, ou s'il continue... J'ai continué. Mais de cette minute, rien n'est demeuré de la résonance parfaite. La lance qui a glissé contre mon bouclier a soudain sonné faux, et le choc du tué contre la terre, et, quelques heures plus tard, l'écroulement des palais. Et la guerre d'ailleurs a vu
120 que j'avais compris. Et elle ne se gênait plus... Les cris des mourants sonnaient faux... J'en suis là.

ANDROMAQUE. — Tout sonnait juste pour les autres.

HECTOR. — Les autres sont comme moi. L'armée que j'ai ramenée hait la guerre. **(16)**

125 ANDROMAQUE. — C'est une armée à mauvaises oreilles.

HECTOR. — Non. Tu ne saurais t'imaginer combien soudain tout a sonné juste pour elle, voilà une heure, à la vue de Troie. Pas un régiment qui ne se soit arrêté d'angoisse à ce concert. Au point que nous n'avons osé entrer durement par les portes,
130 nous nous sommes répandus en groupe autour des murs... C'est la seule tâche digne d'une vraie armée : faire le siège paisible de sa patrie ouverte.

ANDROMAQUE. — Et tu n'as pas compris que c'était là la pire fausseté! La guerre est dans Troie, Hector! C'est elle
135 qui vous a reçus aux portes. C'est elle qui me donne à toi ainsi désemparée, et non l'amour. **(17)**

QUESTIONS

16. La critique de la guerre par Hector : les arguments du héros. Qu'attendait-il de la guerre? Que lui a-t-elle apporté? — En quoi Hector donne-t-il l'impression de sortir d'un rêve? Quelle découverte a-t-il faite? — Le général troyen développe sa critique sous la forme d'une métaphore : de quelle nature est celle-ci? Est-elle trop recherchée? Trop artificielle? ou, au contraire, exprime-t-elle quelque vérité psychologique? — Le langage d'Hector n'est-il pas un langage chiffré, et *sonner faux* ne veut-il pas dire, d'une certaine manière, « sonner juste », c'est-à-dire montrer exactement ce qu'est la guerre? — Giraudoux se laisse-t-il aller au réalisme? au pathétique?

17. Hector et son armée rentrent dans Troie : comment Giraudoux s'y prend-il pour faire la satire des armées victorieuses? N'écrit-il pas avec ses souvenirs d'ancien combattant? — L'inquiétude d'Andromaque se justifie-t-elle en face de la force et du pacifisme d'Hector?

HECTOR. — Que racontes-tu là?

ANDROMAQUE. — Ne sais-tu donc pas que Pâris a enlevé
140 Hélène?

HECTOR. — On vient de me le dire... Et après?

ANDROMAQUE. — Et que les Grecs la réclament? Et que leur envoyé arrive aujourd'hui? Et que si on ne la rend pas, c'est la guerre?

HECTOR. — Pourquoi ne la rendrait-on pas? Je la rendrai
145 moi-même.

ANDROMAQUE. — Pâris n'y consentira jamais.

HECTOR. — Pâris m'aura cédé dans quelques minutes. Cassandre me l'amène.

ANDROMAQUE. — Il ne peut te céder. Sa gloire, comme vous
150 dites, l'oblige à ne pas céder. Son amour aussi, comme il dit, peut-être.

HECTOR. — C'est ce que nous allons voir. Cours demander à Priam s'il peut m'entendre à l'instant, et rassure-toi. Tous ceux des Troyens qui ont fait et peuvent faire la guerre ne
155 veulent pas la guerre.

ANDROMAQUE. — Il reste tous les autres.

CASSANDRE. — Voilà Pâris. **(18)** **(19)**

Andromaque disparaît.

SCÈNE IV. — CASSANDRE, HECTOR, PÂRIS.

HECTOR. — Félicitations, Pâris. Tu as bien occupé notre absence.

QUESTIONS

18. Quels éléments dramatiques nouveaux Giraudoux introduit-il ici? — Hector est confiant, décidé : apaise-t-il l'angoisse d'Andromaque? — La méfiance d'Andromaque à l'égard de la *gloire* et de l'*amour* que les hommes évoquent facilement. — En quoi consiste le pacifisme des Troyens qui ont fait la guerre? Qui Giraudoux démasque-t-il lorsqu'il fait dire à Andromaque : *Il reste tous les autres?* — Pâris est annoncé : n'apparaît-il pas comme une menace?

19. SUR L'ENSEMBLE DE LA SCÈNE III. — Composition et mouvement de cette scène. Montrez qu'elle complète l'exposition.
— Les plaisanteries, les changements de ton sont-ils déplacés? N'y a-t-il pas un assombrissement progressif?
— Dégagez les principaux traits du caractère d'Hector.
— Giraudoux s'identifie-t-il à son héros? En quels termes parle-t-il de la guerre? N'y a-t-il pas beaucoup d'honnêteté de sa part?

PÂRIS. — Pas mal. Merci.

HECTOR. — Alors? Quelle est cette histoire d'Hélène?

5 PÂRIS. — Hélène est une très gentille personne. N'est-ce pas Cassandre?

CASSANDRE. — Assez gentille.

PÂRIS. — Pourquoi ces réserves, aujourd'hui? Hier encore tu disais que tu la trouvais très jolie.

10 CASSANDRE. — Elle est très jolie, mais assez gentille.

PÂRIS. — Elle n'a pas l'air d'une gentille petite gazelle?

CASSANDRE. — Non.

PÂRIS. — C'est toi-même qui m'as dit qu'elle avait l'air d'une gazelle!

15 CASSANDRE. — Je m'étais trompée. J'ai revu une gazelle depuis.

HECTOR. — Vous m'ennuyez avec vos gazelles! Elle ressemble si peu à une femme que cela?

PÂRIS. — Oh! Ce n'est pas le type de femme d'ici, évidemment.

20 CASSANDRE. — Quel est le type de femme d'ici?

PÂRIS. — Le tien, chère sœur. Un type effroyablement peu distant. **(20)**

CASSANDRE. — Ta Grecque est distante en amour?

PÂRIS. — Écoute parler nos vierges!... Tu sais parfaitement
25 ce que je veux dire. J'ai assez des femmes asiatiques. Leurs étreintes sont de la glu, leurs baisers des effractions, leurs paroles de la déglutition. A mesure qu'elles se déshabillent, elles ont l'air de revêtir un vêtement plus chamarré que tous les autres, la nudité, et aussi, avec leurs fards, de vouloir se
30 décalquer sur nous. Et elles se décalquent. Bref, on est terriblement avec elles... Même au milieu de mes bras, Hélène est loin de moi.

HECTOR. — Très intéressant! Mais tu crois que cela vaut une guerre, de permettre à Pâris de faire l'amour à distance?

35 CASSANDRE. — Avec distance... Il aime les femmes distantes, mais de près.

QUESTIONS

20. Le début de cette scène répond-il à l'attente du spectateur? Quel est le ton de cette conversation? Sommes-nous au niveau de la tragédie?

PÂRIS. — L'absence d'Hélène dans sa présence vaut tout.

HECTOR. — Comment l'as-tu enlevée? Consentement ou contrainte?

40 PÂRIS. — Voyons, Hector! Tu connais les femmes aussi bien que moi. Elles ne consentent qu'à la contrainte. Mais alors avec enthousiasme. **(21)**

HECTOR. — A cheval? Et laissant sous ses fenêtres cet amas de crottin qui est la trace des séducteurs? **(22)**

45 PÂRIS. — C'est une enquête?

HECTOR. — C'est une enquête. Tâche pour une fois de répondre avec précision. Tu n'as pas insulté la maison conjugale, ni la terre grecque?

PÂRIS. — L'eau grecque, un peu. Elle se baignait...

50 CASSANDRE. — Elle est née de l'écume, quoi! La froideur est née de l'écume, comme Vénus.

HECTOR. — Tu n'as pas couvert la plinthe du palais d'inscriptions ou de dessins offensants, comme tu en es coutumier? Tu n'as pas lâché le premier sur les échos ce mot qu'ils doivent 55 tous redire en ce moment au mari trompé.

PÂRIS. — Non, Ménélas était nu sur le rivage, occupé à se débarrasser l'orteil d'un crabe. Il a regardé filer mon canot comme si le vent emportait ses vêtements.

HECTOR. — L'air furieux?

60 PÂRIS. — Le visage d'un roi que pince un crabe n'a jamais exprimé la béatitude.

HECTOR. — Pas d'autres spectateurs?

PÂRIS. — Mes gabiers.

HECTOR. — Parfait!

65 PÂRIS. — Pourquoi parfait? Où veux-tu en venir?

HECTOR. — Je dis parfait, parce que tu n'as rien commis

QUESTIONS

21. Relevez les plaisanteries et les jeux sur les mots. — Giraudoux se comporte-t-il en dramaturge soucieux de la progression de l'intrigue ou en homme d'esprit (voir la formation de l'écrivain)? La leçon d'amour donnée par Pâris n'est-elle pas quelque peu gratuite? — Montrez cependant que les scintillements du style voilent des vérités banales. — Ne trouve-t-on pas dans les tragédies classiques des scènes identiques qui restent très en deçà du ton tragique (voir *Polyeucte*, I, I).

22. En quoi cette remarque est-elle parodique?

d'irrémédiable. En somme, puisqu'elle était déshabillée, pas un seul des vêtements d'Hélène, pas un de ses objets n'a été insulté. Le corps seul a été souillé. C'est négligeable. Je connais
70 assez les Grecs pour savoir qu'ils tireront une aventure divine et tout à leur honneur, de cette petite reine grecque qui va à la mer, et qui remonte tranquillement après quelques mois de sa plongée, le visage innocent[1]. **(23)**

CASSANDRE. — Nous garantissons le visage.

75 PÂRIS. — Tu penses que je vais ramener Hélène à Ménélas?

HECTOR. — Nous ne t'en demandons pas tant, ni lui... L'envoyé grec s'en charge... Il la repiquera lui-même dans la mer, comme le piqueur de plantes d'eau, à l'endroit désigné. Tu la lui remettras dès ce soir. **(24)**

80 PÂRIS. — Je ne sais pas si tu te rends très bien compte de la monstruosité que tu commets, en supposant qu'un homme a devant lui une nuit avec Hélène, et accepte d'y renoncer.

CASSANDRE. — Il te reste un après-midi avec Hélène. Cela fait plus grec.

85 HECTOR. — N'insiste pas. Nous te connaissons. Ce n'est pas la première séparation que tu acceptes.

PÂRIS. — Mon cher Hector, c'est vrai. Jusqu'ici, j'ai toujours accepté d'assez bon cœur les séparations. La séparation d'avec une femme, fût-ce la plus aimée, comporte un agrément
90 que je sais goûter mieux que personne. La première promenade solitaire dans les rues de la ville au sortir de la dernière étreinte, la vue du premier petit visage de couturière, tout indifférent et tout frais, après le départ de l'amante adorée

---

1. Explication anthropomorphique de la mythologie. Celle-ci est faite d'événements historiques (guerre de Troie) ou d'accidents de la vie privée (meurtre d'Agamemnon) transposés sous forme de légendes.

QUESTIONS

23. Hector mène une enquête. En quoi ses questions et ses commentaires traduisent-ils : *a*) un tempérament d'homme d'action; *b*) une grande confiance en soi; *c*) une habileté de juriste? — Étudiez les différents tons de Pâris répondant à son frère. — Relevez les divers procédés comiques. Dégagez les traits parodiques et satiriques. L'art de la litote dans ce passage. — Pâris fait allusion à une catégorie de spectateurs qui joueront un grand rôle plus tard : lesquels (voir II, XII)? — A quoi aperçoit-on la présence de Giraudoux derrière ses personnages?

24. Effets produits par cette métaphore.

au nez rougi par les pleurs, le son du premier rire de blanchis-
95 seuse ou de fruitière, après les adieux enroués par le désespoir, constituent une jouissance à laquelle je sacrifie bien volontiers les autres... Un seul être vous manque, et tout est repeuplé[1]... Toutes les femmes sont créées à nouveau pour vous, toutes sont à vous, et cela dans la liberté, la dignité, la paix de votre
100 conscience... Oui, tu as bien raison, l'amour comporte des moments vraiment exaltants, ce sont les ruptures... Aussi ne me séparerai-je jamais d'Hélène, car avec elle j'ai l'impression d'avoir rompu avec toutes les autres femmes, et j'ai mille libertés et mille noblesses au lieu d'une. **(25)**

105 HECTOR. — Parce qu'elle ne t'aime pas. Tout ce que tu dis le prouve.

PÂRIS. — Si tu veux. Mais je préfère à toutes les passions cette façon dont Hélène ne m'aime pas.

HECTOR. — J'en suis désolé. Mais tu la rendras.

110 PÂRIS. — Tu n'es pas le maître ici.

HECTOR. — Je suis ton aîné, et le futur maître.

PÂRIS. — Alors commande dans le futur. Pour le présent, j'obéis à notre père.

HECTOR. — Je n'en demande pas davantage! Tu es d'accord
115 pour que nous nous en remettions au jugement de Priam?

PÂRIS. — Parfaitement d'accord. **(26)**

HECTOR. — Tu le jures? Nous le jurons?

CASSANDRE. — Méfie-toi, Hector! Priam est fou d'Hélène. Il livrerait plutôt ses filles.

120 HECTOR. — Que racontes-tu là?

1. Parodie du vers de Lamartine « Un seul être vous manque et tout est dépeuplé ».

QUESTIONS

25. Cet éloge de la séparation répond-il à une nécessité dramatique? Ne correspond-il pas à une pause dans la progression de l'intrigue? Étudiez-en la composition. Relevez les procédés littéraires qui l'émaillent. Ne sont-ils pas trop visibles? — Tout l'art de Giraudoux ici ne consiste-t-il pas à prendre le contre-pied de la tradition romanesque? — Pâris a-t-il des accents d'une grande sincérité? Cette tirade, cependant, est-elle déplacée dans la bouche de Pâris? — Quelle impression peut avoir le spectateur? — Recherchez dans d'autres pièces de Giraudoux (par ex. *Siegfried*, II, IV) des « morceaux de bravoure » identiques qui détendent l'intrigue.

26. Pâris n'est-il qu'un séducteur inconsistant? Se laisse-t-il impressionner par Hector?

PÂRIS. — Pour une fois qu'elle dit le présent au lieu de l'avenir, c'est la vérité.

CASSANDRE. — Et tous nos frères, et tous nos oncles, et tous nos arrière-grands-oncles!... Hélène a une garde d'honneur,
125 qui assemble tous nos vieillards. Regarde. C'est l'heure de sa promenade... Vois aux créneaux toutes ces têtes à barbe blanche... On dirait les cigognes caquetant sur les remparts. **(27)**

HECTOR. — Beau spectacle. Les barbes sont blanches et les visages rouges.

130 CASSANDRE. — Oui. C'est la congestion. Ils devraient être à la porte du Scamandre[1], par où entrent nos troupes et la victoire. Non, ils sont aux portes Scées[2], par où sort Hélène.

HECTOR. — Les voilà qui se penchent tout d'un coup, comme les cigognes quand passe un rat.

135 CASSANDRE. — C'est Hélène qui passe...

PÂRIS. — Ah oui?

CASSANDRE. — Elle est sur la seconde terrasse. Elle rajuste sa sandale[3], debout, prenant bien soin de croiser haut la jambe.

HECTOR. — Incroyable. Tous les vieillards de Troie sont là
140 à la regarder d'en haut.

CASSANDRE. — Non. Les plus malins regardent d'en bas.

CRIS AU DEHORS. — Vive la Beauté!

HECTOR. — Que crient-ils?

PÂRIS. — Ils crient : Vive la Beauté!

145 CASSANDRE. — Je suis de leur avis. Qu'ils meurent vite.

CRIS AU DEHORS. — Vive Vénus!

HECTOR. — Et maintenant?

CASSANDRE. — Vive Vénus... Ils ne crient que des phrases sans r, à cause de leur manque de dents... Vive la Beauté...

---

1. *Scamandre :* fleuve de l'ancienne Troade; 2. *Portes Scées :* portes de Troie, percées dans la partie occidentale, du côté de la mer; 3. Allusion possible à la « Victoire détachant sa sandale », haut-relief du Parthénon.

QUESTIONS

27. Montrez qu'au moment où Hector croit avoir gagné tout est remis en question : pourquoi? — Quelle importance accorder au fait que ce sont des vieillards qui veulent garder Hélène en dépit du danger? — Qu'est-ce qui fait le comique de la dernière réplique de Cassandre? — Montrez avec quelle habileté Giraudoux introduit de nouveaux personnages.

150 Vive Vénus... Vive Hélène... Ils croient proférer des cris. Ils poussent simplement le mâchonnement à sa plus haute puissance.

HECTOR. — Que vient faire Vénus là-dedans?

CASSANDRE. — Ils ont imaginé que c'était Vénus qui nous donnait Hélène... Pour récompenser Pâris de lui avoir décerné 155 la pomme à première vue[1].

HECTOR. — Tu as fait aussi un beau coup ce jour-là!

PÂRIS. — Ce que tu es frère aîné! **(28) (29)**

SCÈNE V. — LES MÊMES. DEUX VIEILLARDS.

PREMIER VIEILLARD. — D'en bas, nous la voyons mieux...

SECOND VIEILLARD. — Nous l'avons même bien vue!

PREMIER VIEILLARD. — Mais d'ici elle nous entend mieux. Allez! Une, deux, trois!

5 TOUS DEUX. — Vive Hélène!

DEUXIÈME VIEILLARD. — C'est un peu fatigant, à notre âge, d'avoir à descendre et à remonter constamment par des escaliers impossibles, selon que nous voulons la voir ou l'acclamer.

PREMIER VIEILLARD. — Veux-tu que nous alternions. Un 10 jour nous l'acclamerons? Un jour nous la regarderons?

---

1. Allusion à la légende de Pâris : la Discorde (Eris) avait lancé dans l'Olympe une pomme destinée à être donnée à la plus belle. Trois déesses prétendirent à ce titre, Héra (Junon), Aphrodite (Vénus) et Athéna (Minerve). Sans hésiter, Pâris, devant qui elles se présentèrent, choisit Aphrodite. D'où la haine des deux autres contre les Troyens.

QUESTIONS

28. Avec ce spectacle de vieillards, Giraudoux introduit le théâtre dans le théâtre : montrez-le. — Quel est l'intérêt de cet intermède? Étudiez-en : *a*) l'aspect comique; *b*) l'aspect satirique. — Hélène est-elle complice des vieillards? Est-elle coupable? — A quoi décelez-vous le mépris de Giraudoux pour ces vieillards?

29. SUR L'ENSEMBLE DE LA SCÈNE IV. — L'apparition de Pâris : ne joue-t-il pas ici un rôle traditionnel? Lequel? Quels sont les principaux traits de son caractère? Est-il sympathique?

— L'apparition des vieillards : qu'incarnent-ils? De quelle manière le poète nous les présente-t-il? La portée dramatique et humaine de ce passage.

— Comment imaginez-vous Hélène? Comparez cette présentation indirecte d'Hélène avec celle de Tartuffe.

— Dans quelle mesure cette scène complète-t-elle l'exposition?

— Quel en est le ton général?

DEUXIÈME VIEILLARD. — Tu es fou, un jour sans bien voir Hélène!... Songe à ce que nous avons vu d'elle aujourd'hui! Une, deux, trois!

TOUS DEUX. — Vive Hélène!

15 PREMIER VIEILLARD. — Et maintenant en bas!...

Ils disparaissent en courant.

CASSANDRE. — Et tu les vois, Hector. Je me demande comment vont résister tous ces poumons besogneux.

HECTOR. — Notre père ne peut être ainsi.

PÂRIS. — Dis-moi, Hector, avant de nous expliquer devant
20 lui tu pourrais peut-être jeter un coup d'œil sur Hélène.

HECTOR. — Je me moque d'Hélène... Oh! Père, salut! **(30)**

Priam est entré, escorté d'Hécube, d'Andromaque, du poète Demokos et d'un autre vieillard. Hécube tient à la main la petite Polyxène.

SCÈNE VI. — HÉCUBE, ANDROMAQUE, CASSANDRE, HECTOR, PÂRIS, DEMOKOS, LA PETITE POLYXÈNE.

PRIAM. — Tu dis?

HECTOR. — Je dis, Père que nous devons nous précipiter pour fermer les portes de la guerre, les verrouiller, les cadenasser. Il ne faut pas qu'un moucheron puisse passer entre
5 les deux battants!

PRIAM. — Ta phrase m'a paru moins longue.

DEMOKOS. — Il disait qu'il se moquait d'Hélène. **(31)**

PRIAM. — Penche-toi... *Hector obéit.* Tu la vois?

HÉCUBE. — Mais oui, il la voit. Je me demande qui ne la
10 verrait pas et qui ne l'a pas vue. Elle fait le chemin de ronde.

DEMOKOS. — C'est la ronde de la beauté.

QUESTIONS

30. SUR LA SCÈNE V. — Quel est l'intérêt de cette scène de transition sur le plan dramatique? psychologique? satirique?
— Giraudoux a-t-il complètement perdu de vue le thème de la guerre?
— Cette scène, par sa structure comme par sa situation, ne nous conduit-elle pas à évoquer certains procédés cinématographiques? Lesquels?

31. Première intervention de Demokos : quelle est la portée de ses premières paroles? Ne peut-on pas déjà imaginer le rôle qu'il va jouer?

PRIAM. — Tu la vois?

HECTOR. — Oui... Et après?

DEMOKOS. — Priam te demande ce que tu vois!

15 HECTOR. — Je vois une jeune femme qui rajuste sa sandale.

CASSANDRE. — Elle met un certain temps à rajuster sa sandale.

PÂRIS. — Je l'ai emportée nue et sans garde-robe. Ce sont des sandales à toi. Elles sont un peu grandes.

CASSANDRE. — Tout est grand pour les petites femmes.

20 HECTOR. — Je vois deux fesses charmantes.

HÉCUBE. — Il voit ce que vous tous voyez.

PRIAM. — Mon pauvre enfant!

HECTOR. — Quoi?

DEMOKOS. — Priam te dit : pauvre enfant!

25 PRIAM. — Oui, je ne savais pas que la jeunesse de Troie en était là.

HECTOR. — Où en est-elle?

PRIAM. — A l'ignorance de la beauté.

DEMOKOS. — Et par conséquent de l'amour. Au réalisme, 30 quoi! Nous autres poètes appelons cela le réalisme. **(32)**

HECTOR. — Et la vieillesse de Troie en est à la beauté et à l'amour?

HÉCUBE. — C'est dans l'ordre. Ce ne sont pas ceux qui font l'amour ou ceux qui sont la beauté qui ont à les comprendre.

35 HECTOR. — C'est très courant, la beauté, père. Je ne fais pas allusion à Hélène, mais elle court les rues.

PRIAM. — Hector, ne sois pas de mauvaise foi. Il t'est bien arrivé dans la vie, à l'aspect d'une femme, de ressentir qu'elle n'était pas seulement elle-même, mais que tout un flux d'idées 40 et de sentiments avait coulé en sa chair et en prenait l'éclat.

DEMOKOS. — Ainsi le rubis personnifie le sang.

HECTOR. — Pas pour ceux qui ont vu du sang. Je sors d'en prendre.

QUESTIONS

32. Sur quel ton Hector, Hécube, Cassandre parlent-ils d'Hélène? Comment vous apparaît-elle à travers leurs paroles? — Quel sens Demokos donne-t-il au mot *réalisme?* Précisez l'attitude de Giraudoux à l'égard de cette notion (voir *l'Impromptu de Paris*, scène première).

Phot. Lipnitzki.

LA GUERRE DE TROIE N'AURA PAS LIEU
au théâtre de l'Athénée en 1937.
On reconnaît à droite Marie-Hélène Dasté dans le rôle de CASSANDRE.

DEMOKOS. — Un symbole, quoi! Tout guerrier que tu es,
45 tu as bien entendu parler des symboles! Tu as bien rencontré des femmes qui, d'aussi loin que tu les apercevais, te semblaient personnifier l'intelligence, l'harmonie, la douceur?

HECTOR. — J'en ai vu.

DEMOKOS. — Que faisais-tu alors?

50 HECTOR. — Je m'approchais et c'était fini... Que personnifie celle-là?

DEMOKOS. — On te le répète, la beauté.

HÉCUBE. — Alors, rendez-la vite aux Grecs, si vous voulez qu'elle vous la personnifie pour longtemps. C'est une blonde.

55 DEMOKOS. — Impossible de parler avec ces femmes! **(33)**

HÉCUBE. — Alors ne parlez pas des femmes! Vous n'êtes guère galants, en tout cas, ni patriotes. Chaque peuple remise son symbole dans sa femme, qu'elle soit camuse ou lippue. Il n'y a que vous pour aller le loger ailleurs.

60 HECTOR. — Père, mes camarades et moi rentrons harassés. Nous avons pacifié notre continent pour toujours. Nous entendons désormais vivre heureux, nous entendons que nos femmes puissent nous aimer sans angoisse et avoir leurs enfants.

DEMOKOS. — Sages principes, mais jamais la guerre n'a
65 empêché d'accoucher. **(34)**

HECTOR. — Dis-moi pourquoi nous trouvons la ville transformée, du seul fait d'Hélène? Dis-moi ce qu'elle nous a apporté, qui vaille une brouille avec les Grecs!

LE GÉOMÈTRE. — Tout le monde te le dira! Moi je peux te
70 le dire!

HÉCUBE. — Voilà le géomètre!

QUESTIONS

33. Hector, Hécube, d'une part, Priam, Demokos, d'autre part, parlent-ils la même langue? Voient-ils en Hélène — plus généralement dans la femme — la même personne? — En quoi l'attitude de Priam et de Demokos peut-elle être dangereuse? — Appréciez le bon sens et l'ironie d'Hécube.

34. Quelle leçon Hécube donne-t-elle à Demokos? — Ne dénonce-t-elle pas en même temps une imposture universellement commise? — Hector n'apparaît-il pas ici comme le type parfait de l'ancien combattant? Quelles sont ses revendications? Trouvaient-elles un écho dans la France de 1935? — Demokos partage-t-il l'opinion d'Hector? Caractérisez le ton de sa réplique.

LE GÉOMÈTRE. — Oui, voilà le géomètre! Et ne crois pas que les géomètres n'aient pas à s'occuper des femmes! Ils sont les arpenteurs aussi de votre apparence. Je ne te dirai pas ce
75 qu'ils souffrent, les géomètres, d'une épaisseur de peau en trop à vos cuisses ou d'un bourrelet à votre cou... Eh bien, les géomètres jusqu'à ce jour n'étaient pas satisfaits de cette contrée qui entoure Troie. La ligne d'attache de la plaine aux collines leur semblait molle, la ligne des collines aux mon-
80 tagnes du fil de fer. Or, depuis qu'Hélène est ici, le paysage a pris son sens et sa fermeté. Et, chose particulièrement sensible aux vrais géomètres, il n'y a plus à l'espace et au volume qu'une commune mesure qui est Hélène. C'est la mort de tous ces instruments inventés par les hommes pour rapetisser
85 l'univers. Il n'y a plus de mètres, de grammes, de lieues. Il n'y a plus que le pas d'Hélène, la coudée d'Hélène, la portée du regard ou de la voix d'Hélène, et l'air de son passage est la mesure des vents. Elle est notre baromètre, notre anémomètre! Voilà ce qu'ils te disent, les géomètres. **(35)**

90 HÉCUBE. — Il pleure, l'idiot.

PRIAM. — Mon cher fils, regarde seulement cette foule, et tu comprendras ce qu'est Hélène. Elle est une espèce d'absolution. Elle prouve à tous ces vieillards que tu vois là au guet et qui ont mis des cheveux blancs au fronton de la ville, à
95 celui-là qui a volé, à celui-là qui trafiquait des femmes, à celui-là qui manqua sa vie, qu'ils avaient au fond d'eux-mêmes une revendication secrète, qui était la beauté. Si la beauté avait été près d'eux, aussi près qu'Hélène l'est aujourd'hui, ils n'auraient pas dévalisé leurs amis, ni vendu leurs filles, ni bu
100 leur héritage. Hélène est leur pardon, et leur revanche, et leur avenir. **(36)**

QUESTIONS

35. L'arrivée du géomètre était-elle annoncée? — Analysez le rôle joué par ce personnage. De quelle nature sont ses propos? scientifique? poétique? Ne semble-t-il pas saisi lui aussi de quelque folie? Que représente Hélène pour lui? — Relevez les anachronismes et précisez-en l'effet?

36. Montrez que Priam confirme les paroles du géomètre : sur quel plan se situe-t-il? — Hélène n'est-elle pas dépassée par le rôle qu'elle joue ou qu'on lui fait jouer? N'est-elle pas victime de ce que l'on appelle le « culte de la star »? — En rapprochant cette tirade de la scène II de *l'Apollon de Bellac*, demandez-vous quelle place occupe la beauté pour les hommes.

HECTOR. — L'avenir des vieillards me laisse indifférent.

DEMOKOS. — Hector, je suis poète et juge en poète. Suppose que notre vocabulaire ne soit pas quelquefois touché par
105 la beauté! Suppose que le mot délice n'existe pas!

HECTOR. — Nous nous en passerions. Je m'en passe déjà. Je ne prononce le mot délice qu'absolument forcé.

DEMOKOS. — Oui, et tu te passerais du mot volupté, sans doute?

110 HECTOR. — Si c'était au prix de la guerre qu'il fallût acheter le mot volupté, je m'en passerais.

DEMOKOS. — C'est au prix de la guerre que tu as trouvé le plus beau, le mot courage.

HECTOR. — C'était bien payé.

115 HÉCUBE. — Le mot lâcheté a dû être trouvé par la même occasion.

PRIAM. — Mon fils, pourquoi te forces-tu à ne pas nous comprendre?

HECTOR. — Je vous comprends fort bien. A l'aide d'un
120 quiproquo, en prétendant nous faire battre pour la beauté, vous voulez nous faire battre pour une femme. **(37)**

PRIAM. — Et tu ne ferais la guerre pour aucune femme?

HECTOR. — Certainement non!

HÉCUBE. — Et il aurait rudement raison.

125 CASSANDRE. — S'il n'y en avait qu'une peut-être. Mais ce chiffre est largement dépassé.

DEMOKOS. — Tu ne ferais pas la guerre pour reprendre Andromaque?

HECTOR. — Andromaque et moi avons déjà convenu de
130 moyens secrets pour échapper à toute prison et nous rejoindre.

DEMOKOS. — Pour vous rejoindre, si tout espoir est perdu?

ANDROMAQUE. — Pour cela aussi.

QUESTIONS

37. Dans quel univers se meut Demokos : dans l'univers des choses ou au contraire, dans un pur univers verbal? — N'y a-t-il pas d'ailleurs chez Giraudoux une tendance constante à se réfugier dans un univers verbal, plus séduisant que l'univers réel (voir les variations de Siegfried sur le mot *ravissant*, II, v). — La dernière réplique d'Hector est brutale : que dénonce-t-il? — Qui l'emporte en Giraudoux : le poète? ou l'ancien combattant qui hait la guerre?

HÉCUBE. — Tu as bien fait de les démasquer, Hector. Ils veulent faire la guerre pour une femme, c'est la façon d'aimer
135 des impuissants. **(38)**

DEMOKOS. — C'est vous donner beaucoup de prix?

HÉCUBE. — Ah oui! par exemple!

DEMOKOS. — Permets-moi de ne pas être de ton avis. Le sexe à qui je dois ma mère, je le respecterai jusqu'en ses repré-
140 sentantes les moins dignes.

HÉCUBE. — Nous le savons. Tu l'y as déjà respecté...

Les servantes accourues au bruit de la dispute éclatent de rire.

PRIAM. — Hécube! Mes filles! Que signifie cette révolte de gynécée[1]? Le conseil se demande s'il ne mettra pas la ville en jeu pour l'une d'entre vous; et vous en êtes humiliées?

145 ANDROMAQUE. — Il n'est qu'une humiliation pour la femme, l'injustice.

DEMOKOS. — C'est vraiment pénible de constater que les femmes sont les dernières à savoir ce qu'est la femme.

LA JEUNE SERVANTE, *qui repasse.* — Oh! là! là!

150 HÉCUBE. — Elles le savent parfaitement. Je vais vous le dire, moi, ce qu'est la femme.

DEMOKOS. — Ne les laisse pas parler, Priam. On ne sait jamais ce qu'elles peuvent dire.

HÉCUBE. — Elles peuvent dire la vérité. **(39)**

155 PRIAM. — Je n'ai qu'à penser à l'une de vous, mes chéries, pour savoir ce qu'est la femme.

DEMOKOS. — Primo. Elle est le principe de notre énergie. Tu le sais bien, Hector. Les guerriers qui n'ont pas un portrait de femme dans leur sac ne valent rien.

---

1. *Gynécée :* appartement des femmes, dans les maisons grecques et romaines.

QUESTIONS

38. Réplique méprisante d'Hécube : montrez-en la vérité profonde. — La guerre comme acte d'amour : est-ce paradoxal? Peut-on expliquer par là la fascination qu'exerce la guerre sur les hommes?

39. Dans quel camp se rangent les femmes? Montrez que, comme le dit Hécube, la haine de l'injustice et l'amour de la vérité déterminent leur action (voir *Electre*, II, VIII; *Pour Lucrèce*, I, II-IX). — Demokos, qui fait l'éloge de la femme, a-t-il confiance en elle? Comment expliquez-vous les contradictions de son comportement?

160 CASSANDRE. — De votre orgueil, oui.

HÉCUBE. — De vos vices.

ANDROMAQUE. — C'est un pauvre tas d'incertitude, un pauvre amas de crainte, qui déteste ce qui est lourd, qui adore ce qui est vulgaire et facile.

165 HECTOR. — Chère Andromaque!

HÉCUBE. — C'est très simple. Voilà cinquante ans que je suis femme et je n'ai jamais pu encore savoir au juste ce que j'étais.

DEMOKOS. — Secundo. Qu'elle le veuille ou non, elle est la 170 seule prime du courage... Demandez au moindre soldat. Tuer un homme, c'est mériter une femme.

ANDROMAQUE. — Elle aime les lâches, les libertins. Si Hector était lâche ou libertin, je l'aimerais autant. Je l'aimerais peut-être davantage.

175 PRIAM. — Ne va pas trop loin. Andromaque. Tu prouverais le contraire de ce que tu veux prouver.

LA PETITE POLYXÈNE. — Elle est gourmande. Elle ment.

DEMOKOS. — Et de ce que représentent dans la vie humaine la fidélité, la pureté, nous n'en parlons pas, hein?

180 LA SERVANTE. — Oh! là! là!

DEMOKOS. — Que racontes-tu, toi?

LA SERVANTE. — Je dis : Oh! là! là! Je dis ce que je pense.

LA PETITE POLYXÈNE. — Elle casse ses jouets. Elle leur plonge la tête dans l'eau bouillante.

185 HÉCUBE. — A mesure que nous vieillissons, nous les femmes, nous voyons clairement ce qu'ont été les hommes, des hypocrites, des vantards, des boucs. A mesure que les hommes vieillissent, ils nous parent de toutes les perfections. Il n'est pas un souillon accolé derrière un mur qui ne se transforme 190 dans vos souvenirs en créature d'amour. **(40)**

QUESTIONS

40. Définitions contradictoires de la femme : pourquoi ces divergences de vue? — Giraudoux ne dénonce-t-il pas l'utilisation abusive que l'on fait de la femme en certaines circonstances? A qui Giraudoux pense-t-il lorsqu'il prête à Demokos ses formules ronflantes? — La définition de la femme par Andromaque : est-elle injurieuse? peut-elle être comprise de Demokos? — Hécube tire la conclusion de ce débat sur la nature de la femme : se fait-elle des illusions sur la condition humaine? Le comique de mots atténue-t-il l'âpreté du jugement?

PRIAM. — Tu m'as trompé, toi?

HÉCUBE. — Avec toi-même seulement, mais cent fois.

DEMOKOS. — Andromaque a trompé Hector?

HÉCUBE. — Laisse donc Andromaque tranquille. Elle n'a
195 rien à voir dans les histoires de femme.

ANDROMAQUE. — Si Hector n'était pas mon mari, je le tromperais avec lui-même. S'il était un pêcheur pied-bot, bancal, j'irais le poursuivre jusque dans sa cabane. Je m'étendrais dans les écailles d'huître et les algues. J'aurais de lui un fils
200 adultère. **(41)**

LA PETITE POLYXÈNE. — Elle s'amuse à ne pas dormir la nuit, tout en fermant les yeux.

HÉCUBE, *à Polyxène.* — Oui, tu peux en parler, toi! C'est épouvantable! Que je t'y reprenne!

205 LA SERVANTE. — Il n'y a pire que l'homme. Mais celui-là!

DEMOKOS. — Et tant pis si la femme nous trompe! Tant pis si elle-même méprise sa dignité et sa valeur. Puisqu'elle n'est pas capable de maintenir en elle cette forme idéale qui la maintient rigide et écarte les rides de l'âme, c'est à nous de le faire...

210 LA SERVANTE. — Ah! le bel embauchoir[1]! **(42)**

PÂRIS. — Il n'y a qu'une chose qu'elles oublient de dire : Qu'elles ne sont pas jalouses.

PRIAM. — Chères filles, votre révolte même prouve que nous avons raison. Est-il une plus grande générosité que celle qui
215 vous pousse à vous battre en ce moment pour la paix, la paix qui vous donnera des maris veules, inoccupés, fuyants, quand la guerre vous fera d'eux des hommes!...

DEMOKOS. — Des héros.

---

1. *Embauchoir* : instrument que l'on place dans les chaussures pour en maintenir la forme.

QUESTIONS

41. Andromaque fait une déclaration d'amour indirecte à Hector. Montrez-en : *a*) la noblesse; *b*) la bouleversante humanité; *c*) la discrète sensualité. — Comparez les paroles d'Andromaque à celles d'Hélène (scène VIII).

42. Dans quelle mesure peut-on dire que cette servante rappelle les servantes de Molière? Rapprochez-la de Dorine. — Analysez son exclamation : sens, portée, effet produit; valeur du contrepoint à l'égard des pensées et de l'expression de Demokos.

HÉCUBE. — Nous connaissons le vocabulaire. L'homme en
220 temps de guerre s'appelle le héros. Il peut ne pas en être plus brave, et fuir à toutes jambes. Mais c'est du moins un héros qui détale. **(43)**

ANDROMAQUE. — Mon père, je vous en supplie. Si vous avez cette amitié pour les femmes, écoutez ce que toutes les
225 femmes du monde vous disent par ma voix. Laissez-nous nos maris comme ils sont. Pour qu'ils gardent leur agilité et leur courage, les dieux ont créé autour d'eux tant d'entraîneurs vivants ou non vivants! Quand ce ne serait que l'orage! Quand ce ne serait que les bêtes! Aussi longtemps qu'il y aura des
230 loups, des éléphants, des onces[1], l'homme aura mieux que l'homme comme émule et comme adversaire. Tous ces grands oiseaux qui volent autour de nous, ces lièvres dont nous les femmes confondons le poil avec les bruyères, sont de plus sûrs garants de la vue perçante de nos maris que l'autre cible, que
235 le cœur de l'ennemi emprisonné dans sa cuirasse. Chaque fois que j'ai vu tuer un cerf ou un aigle, je l'ai remercié. Je savais qu'il mourait pour Hector. Pourquoi voulez-vous que je doive Hector à la mort d'autres hommes? **(44)**

PRIAM. — Je ne le veux pas, ma petite chérie. Mais savez-
240 vous pourquoi vous êtes là, toutes si belles et si vaillantes? C'est parce que vos maris et vos pères et vos aïeux furent des guerriers. S'ils avaient été paresseux aux armes, s'ils n'avaient pas su que cette occupation terne et stupide qu'est la vie se justifie soudain et s'illumine par le mépris que les hommes
245 ont d'elle, c'est vous qui seriez lâches et réclameriez la guerre. Il n'y a pas deux façons de se rendre immortel ici-bas, c'est d'oublier qu'on est mortel.

ANDROMAQUE. — Oh! justement, Père, vous le savez bien! Ce sont les braves qui meurent à la guerre. Pour ne pas y être
250 tué, il faut un grand hasard ou une grande habileté. Il faut

1. *Once :* genre de léopard asiatique.

QUESTIONS

43. Giraudoux ne dénonce-t-il pas à travers les paroles d'Hécube toute une phraséologie guerrière qui a fleuri avant, pendant et après la guerre? — Les femmes, chez Giraudoux, sont-elles dupes des hommes? — En quoi consiste le comique ce cette réplique?

44. Quelle place Giraudoux assigne-t-il aux animaux auprès des hommes? Y a-t-il insensibilité, manque d'humanité de sa part? — Montrez que son attitude relève de toute une philosophie (voir *Electre*, I, III).

avoir courbé la tête, ou s'être agenouillé au moins une fois devant le danger. Les soldats qui défilent sous les arcs de triomphe sont ceux qui ont déserté la mort. Comment un pays pourrait-il gagner dans son honneur et dans sa force en
255 les perdant tous les deux? **(45)**

PRIAM. — Ma fille, la première lâcheté est la première ride d'un peuple.

ANDROMAQUE. — Où est la pire lâcheté? Paraître lâche vis-à-vis des autres, et assurer la paix? Ou être lâche vis-à-vis de
260 soi-même et provoquer la guerre?

DEMOKOS. — La lâcheté est de ne pas préférer à toute mort la mort pour son pays.

HÉCUBE. — J'attendais la poésie à ce tournant. Elle n'en manque pas une.

265 ANDROMAQUE. — On meurt toujours pour son pays! Quand on a vécu en lui digne, actif, sage, c'est pour lui aussi qu'on meurt. Les tués ne sont pas tranquilles sous la terre, Priam. Ils ne se fondent pas en elle pour le repos et l'aménagement éternel. Ils ne deviennent pas sa glèbe, sa chair. Quand on
270 retrouve dans le sol une ossature humaine, il y a toujours une épée près d'elle. C'est un os de la terre, un os stérile. C'est un guerrier. **(46)**

HÉCUBE. — Ou alors que les vieillards soient les seuls guerriers. Tout pays est le pays de la jeunesse. Il meurt quand la
275 jeunesse meurt.

DEMOKOS. — Vous nous ennuyez avec votre jeunesse. Elle sera la vieillesse dans trente ans.

CASSANDRE. — Erreur.

QUESTIONS

45. Comment Priam justifie-t-il la guerre? Celle-ci trouve-t-elle sa justification en elle-même ou, au contraire, hors d'elle-même? Le roi n'adopte-t-il pas ici le point de vue traditionnel? La dernière phrase de la réplique de Priam n'est-elle pas un sophisme? — Montrez que les arguments d'Andromaque sonnent plus juste : pourquoi? Analysez en quoi ils prennent le contre-pied des discours de l'après-guerre. Montrez que les paroles d'Andromaque préparent le fameux discours aux morts d'Hector (II, v). — Complétez le portrait d'Andromaque.

46. Contre quoi Giraudoux s'élève-t-il ici? Andromaque se montre-t-elle sensible à la propagande? au « bourrage de crâne »? Ses paroles ne risquaient-elles pas de choquer en 1935? Pouvez-vous leur surimposer des images de la guerre? Lesquelles? — Précisez un trait de l'humanisme de Jean Giraudoux, d'après ce passage.

HÉCUBE. — Erreur! Quand l'homme adulte touche à ses
280 quarante ans, on lui substitue un vieillard. Lui disparaît. Il n'y a que des rapports d'apparence entre les deux. Rien de l'un ne continue en l'autre. **(47)**

DEMOKOS. — Le souci de ma gloire a continué, Hécube.

HÉCUBE. — C'est vrai. Et les rhumatismes... **(48)**

Nouveaux éclats de rire des servantes.

285 HECTOR. — Et tu écoutes cela sans mot dire, Pâris! Et il ne te vient pas à l'esprit de sacrifier une aventure pour nous sauver d'années de discorde et de massacre?

PÂRIS. — Que veux-tu que je te dise! Mon cas est international. **(49)**

290 HECTOR. — Aimes-tu vraiment Hélène, Pâris?

CASSANDRE. — Ils sont le symbole de l'amour. Ils n'ont même plus à s'aimer.

PÂRIS. — J'adore Hélène.

CASSANDRE, *au rempart.* — La voilà, Hélène.

295 HECTOR. — Si je la convaincs de s'embarquer, tu acceptes?

PÂRIS. — J'accepte, oui.

HECTOR. — Père, si Hélène consent à repartir pour la Grèce, vous la retiendrez de force?

PRIAM. — Pourquoi mettre en question l'impossible?

300 HÉCUBE. — Et pourquoi l'impossible? Si les femmes sont le quart de ce que vous prétendez, Hélène partira d'elle-même.

PÂRIS. — Père, c'est moi qui vous en prie. Vous les voyez et entendez. Cette tribu royale, dès qu'il est question d'Hélène,

QUESTIONS

47. Giraudoux poète de la jeunesse : les propos d'Hécube ne rendent-ils pas un son tragique dans les années 30? Quelle était la situation démographique de la France? — L'auteur ne ménage pas les vieillards : ne peut-on pas rapprocher cette attitude de celle de Corneille dans *le Cid?* Justifiez cette attitude de sa part d'après ce qui précède : collusion entre ce que représente Priam et ce que symbolise Demokos; leur rôle actif dans la décision prise de susciter ou non la guerre; la manière dont ils sont touchés par celle-ci.

48. Hécube prend-elle Demokos au sérieux? L'ironie de sa réponse et sa portée profonde. Montrez qu'elle résume ici sa pensée sur Demokos et ce qu'il symbolise.

49. Cette phrase n'est-elle qu'une boutade?

devient aussitôt un assemblage de belle-mère, de belles-sœurs,
305 et de beau-père digne de la meilleure bourgeoisie. Je ne connais pas d'emploi plus humiliant dans une famille nombreuse que le rôle du fils séducteur. J'en ai assez de leurs insinuations. J'accepte le défi d'Hector.

DEMOKOS. — Hélène n'est pas à toi seul, Pâris. Elle est à la
310 ville. Elle est au pays.

LE GÉOMÈTRE. — Elle est au paysage.

HÉCUBE. — Tais-toi, géomètre.

CASSANDRE. — La voilà, Hélène...

HECTOR. — Père, je vous le demande. Laissez-moi ce recours.
315 Écoutez... On nous appelle pour la cérémonie. Laissez-moi et je vous rejoins.

PRIAM. — Vraiment, tu acceptes, Pâris?

PÂRIS. — Je vous en conjure.

PRIAM. — Soit. Venez, mes enfants. Allons préparer les
320 portes de la guerre.

CASSANDRE. — Pauvres portes. Il faut plus d'huile pour les fermer que pour les ouvrir. **(50)**

Priam et sa suite s'éloignent. Demokos est resté.

HECTOR. — Qu'attends-tu là?

DEMOKOS. — Mes transes.

325 HECTOR. — Tu dis?

DEMOKOS. — Chaque fois qu'Hélène apparaît, l'inspiration me saisit. Je délire, j'écume et j'improvise. Ciel, la voilà!

Il déclame.

Belle Hélène, Hélène de Sparte,
A gorge douce, à noble chef.
330 Les dieux nous gardent que tu partes,
Vers ton Ménélas derechef!

QUESTIONS

50. Montrez que cette fin de scène est marquée par un net changement de ton : dans quel genre de comédie l'arrivée de Pâris nous entraîne-t-elle? Qu'est-ce qui détermine Pâris à accepter le défi d'Hector? — N'y a-t-il pas dans ce fragment quelques phrases inquiétantes? Par qui sont-elles prononcées? — Relevez ce qui vous laisse penser que l'affaire est loin d'être réglée? — Cassandre prend-elle une part directe au drame? Ne peut-on pas l'identifier à un personnage bien connu de la tragédie antique?

HECTOR. — Tu as fini de terminer tes vers avec ces coups de marteau qui nous enfoncent le crâne.

DEMOKOS. — C'est une invention à moi. J'obtiens des effets
335 bien plus surprenants encore. Écoute :

Viens sans peur au-devant d'Hector,
La gloire et l'effroi du Scamandre[1]!
Tu as raison et lui a tort...
Car il est dur et tu es tendre...

340 HECTOR. — File!

DEMOKOS. — Qu'as-tu à me regarder ainsi? Tu as l'air de détester autant la poésie que la guerre.

HECTOR. — Va! Ce sont les deux sœurs! **(51)**

Le poète disparaît.

CASSANDRE *annonçant.* — Hélène! **(52)**

SCÈNE VII. — HÉLÈNE, PÂRIS, HECTOR.

PÂRIS. — Hélène chérie, voici Hector. Il a des projets sur toi, des projets tout simples. Il veut te rendre aux Grecs et te prouver que tu ne m'aimes pas... Dis-moi que tu m'aimes, avant que je te laisse avec lui... Dis-le-moi comme tu le penses.

5 HÉLÈNE. — Je t'adore, chéri.

---

1. *Scamandre* : voir page 49, ligne 131 et la note.

QUESTIONS

51. La satire du poète Demokos : *a*) relevez les traits parodiques et satiriques; *b*) étudiez la parenté qui existe entre Giraudoux et le Molière des *Femmes savantes* (III, II). Peut-on parler ici de caricature? — Quel genre de poésie l'auteur dénonce-t-il à travers le poème de Demokos? — Comment expliquez-vous cette haine de Giraudoux pour la poésie? L'écrivain n'est-il pas lui-même un poète? Sur quoi se fonde l'identité qu'il établit entre la poésie et la guerre? La première serait-elle dangereuse? En quoi?

52. SUR L'ENSEMBLE DE LA SCÈNE VI. — Scène longue, complexe : étudiez-en la composition.

— Quels personnages nouveaux apparaissent? L'action progresse-t-elle? La désinvolture de Giraudoux à l'égard de l'intrigue n'est-elle pas plus apparente que réelle?

— Relevez les principaux thèmes. Comment sont-ils liés? Notez les procédés comiques ainsi que les traits de satire.

— Montrez que cette scène est ancrée dans l'actualité.

— Vers quels personnages va la sympathie de l'auteur?

PÂRIS. — Dis-moi qu'elle était belle, la vague qui t'emporta de Grèce!

HÉLÈNE. — Magnifique! Une vague magnifique!... Où as-tu vu une vague? La mer était si calme...

10 PÂRIS. — Dis-moi que tu hais Ménélas...

HÉLÈNE. — Ménélas? Je le hais.

PÂRIS. — Tu n'as pas fini... Je ne retournerai jamais en Grèce. Répète.

HÉLÈNE. — Tu ne retourneras jamais en Grèce.

15 PÂRIS. — Non, c'est de toi qu'il s'agit.

HÉLÈNE. — Bien sûr! Que je suis sotte!... Jamais je ne retournerai en Grèce.

PÂRIS. — Je ne le lui fais pas dire... A toi maintenant. **(53)**

Il s'en va.

SCÈNE VIII. — HÉLÈNE, HECTOR.

HECTOR. — C'est beau, la Grèce?

HÉLÈNE. — Pâris l'a trouvée belle.

HECTOR. — Je vous demande si c'est beau, la Grèce sans Hélène?

5 HÉLÈNE. — Merci pour Hélène.

HECTOR. — Enfin, comment est-ce, depuis qu'on en parle?

HÉLÈNE. — C'est beaucoup de rois et de chèvres éparpillés sur du marbre.

HECTOR. — Si les rois sont dorés et les chèvres angora, cela
10 ne doit pas être mal au soleil levant.

HÉLÈNE. — Je me lève tard.

HECTOR. — Des dieux aussi, en quantité? Pâris dit que le ciel en grouille, que des jambes de déesses en pendent.

QUESTIONS

53. SUR LA SCÈNE VII. — En quoi est-ce une scène de transition?
— Quels sont les procédés comiques?
— Comment vous apparaît Hélène?
— Le succès que vient de remporter Pâris est-il probant? Rapprochez la réplique d'Hélène, « Ménélas? Je le hais » (ligne 11), d'*Electre*, du même auteur, où, à la scène VIII de l'acte II, Clytemnestre dit à Egisthe de son mari Agamemnon : « Je le haïssais. » En quoi la réplique précédente de Pâris (ligne 10) affaiblit-elle ici la portée de la déclaration d'Hélène?

HÉLÈNE. — Pâris va toujours le nez levé. Il peut les avoir
15 vues. **(54)**

HECTOR. — Vous, non?

HÉLÈNE. — Je ne suis pas douée. Je n'ai jamais pu voir un poisson dans la mer. Je regarderai mieux quand j'y retournerai.

HECTOR. — Vous venez de dire à Pâris que vous n'y retour-
20 neriez jamais.

HÉLÈNE. — Il m'a priée de le dire. J'adore obéir à Pâris.

HECTOR. — Je vois. C'est comme pour Ménélas. Vous ne le haïssez pas?

HÉLÈNE. — Pourquoi le haïrais-je? **(55)**

25 HECTOR. — Pour la seule raison qui fasse vraiment haïr. Vous l'avez trop vu.

HÉLÈNE. — Ménélas? Oh! non! Je n'ai jamais bien vu Ménélas, ce qui s'appelle vu. Au contraire.

HECTOR. — Votre mari?

30 HÉLÈNE. — Entre les objets et les êtres, certains sont colorés pour moi. Ceux-là je les vois. Je crois en eux. Je n'ai jamais bien pu voir Ménélas.

HECTOR. — Il a dû pourtant s'approcher très près.

HÉLÈNE. — J'ai pu le toucher. Je ne peux pas dire que je
35 l'ai vu.

HECTOR. — On dit qu'il ne vous quittait pas.

HÉLÈNE. — Évidemment. J'ai dû le traverser bien des fois sans m'en douter.

HECTOR. — Tandis que vous avez vu Pâris?

40 HÉLÈNE. — Sur le ciel, sur le sol, comme une découpure.

HECTOR. — Il s'y découpe encore. Regardez-le, là-bas, adossé au rempart.

HÉLÈNE. — Vous êtes sûr que c'est Pâris, là-bas?

QUESTIONS

54. Présentation facétieuse de la Grèce : en quoi ce début de scène témoigne-t-il de ce que l'on appelle « l'esprit normalien »? — Le débat qui s'engage est capital : ces premiers échanges ne sont-ils pas une manière de ruser avec la réalité et avec les spectateurs? A quel public Giraudoux s'adresse-t-il?

55. Hélène ne se soucie guère de ses contradictions : aime-t-elle Pâris? Quelles remarques pouvez-vous faire sur son caractère?

HECTOR. — C'est lui qui vous attend.

45 HÉLÈNE. — Tiens! il est beaucoup moins net!

HECTOR. — Le mur est cependant passé à la chaux fraîche. Tenez, le voilà de profil!

HÉLÈNE. — C'est curieux comme ceux qui vous attendent se découpent moins bien que ceux que l'on attend! **(56)**

50 HECTOR. — Vous êtes sûre qu'il vous aime, Pâris?

HÉLÈNE. — Je n'aime pas beaucoup connaître les sentiments des autres. Rien ne gêne comme cela. C'est comme au jeu quand on voit dans le jeu de l'adversaire. On est sûr de perdre.

HECTOR. — Et vous, vous l'aimez?

55 HÉLÈNE. — Je n'aime pas beaucoup connaître non plus mes propres sentiments.

HECTOR. — Voyons! Quand vous venez d'aimer Pâris, qu'il s'assoupit dans vos bras, quand vous êtes encore ceinturée par Pâris, comblée par Pâris, vous n'avez aucune pensée?

60 HÉLÈNE. — Mon rôle est fini. Je laisse l'univers penser à ma place. Cela, il le fait mieux que moi. **(57)**

HECTOR. — Mais le plaisir vous rattache bien à quelqu'un, aux autres ou à vous-même.

HÉLÈNE. — Je connais surtout le plaisir des autres... Il
65 m'éloigne des deux...

HECTOR. — Il y a eu beaucoup de ces autres, avant Pâris?

HÉLÈNE. — Quelques-uns.

HECTOR. — Et il y en aura d'autres après lui, n'est-ce pas, pourvu qu'ils se découpent sur l'horizon, sur le mur ou sur
70 le drap? C'est bien ce que je supposais. Vous n'aimez pas Pâris, Hélène. Vous aimez les hommes!

QUESTIONS

56. Quel est le don d'Hélène? Giraudoux n'a-t-il pas l'habitude de prêter à ses héroïnes des talents spéciaux (voir Isabelle dans *Intermezzo*, Lucile dans *Pour Lucrèce*)? — Le don d'Hélène n'est-il pas prétexte à jeux précieux de la part du poète? Montrez comment ce dernier sait habiller de neuf les lieux communs.

57. Hélène n'apparaît-elle pas comme un être à part? Est-elle humaine? conforme à ce que vous attendiez d'elle? conforme à la tradition légendaire? Donne-t-elle l'impression d'être engagée dans un jeu dangereux? Est-elle une créature facile à saisir? Ne vous donne-t-elle pas la clé de son personnage quand elle dit *Je laisse l'univers penser à ma place?* Voir les commentaires d'Ulysse sur Hélène (II, XIII).

HÉLÈNE. — Je ne les déteste pas. C'est agréable de les frotter contre soi comme de grands savons. On en est toute pure...

HECTOR. — Cassandre! Cassandre! **(58)** **(59)**

SCÈNE IX. — HÉLÈNE, CASSANDRE, HECTOR.

CASSANDRE. — Qu'y a-t-il?

HECTOR. — Tu me fais rire. Ce sont toujours les devineresses qui questionnent.

CASSANDRE. — Pourquoi m'appelles-tu?

5 HECTOR. — Cassandre, Hélène repart ce soir avec l'envoyé grec.

HÉLÈNE. — Moi? Que contez-vous là?

HECTOR. — Vous ne venez pas de me dire que vous n'aimez pas très particulièrement Pâris?

10 HÉLÈNE. — Vous interprétez. Enfin, si vous voulez.

HECTOR. — Je cite mes auteurs. Que vous aimez surtout frotter les hommes contre vous comme de grands savons?

HÉLÈNE. — Oui. Ou de la pierre ponce, si vous aimez mieux. Et alors?

15 HECTOR. — Et alors, entre ce retour vers la Grèce qui ne vous déplaît pas, et une catastrophe aussi redoutable que la guerre, vous hésiteriez à choisir? **(60)**

QUESTIONS

58. Montrez que cette fin de scène est un mélange de plaisanteries et de vérités profondes. — Appréciez la nouveauté de la comparaison des hommes avec de grands savons et l'art avec lequel Giraudoux manie le paradoxe.

59. SUR L'ENSEMBLE DE LA SCÈNE VIII. — Hector aborde-t-il les problèmes de front?

— En quoi cette scène est-elle une sorte de digression? Quel est son intérêt?

— Rassemblez les traits qui font d'Hélène une créature originale. Pensez-vous que son attitude facilite la tâche d'Hector?

— N'y aurait-il pas de l'absurdité à déclarer une guerre pour une créature aussi indifférente aux êtres et aux choses?

60. Montrez qu'Hector tire une conclusion logique. Mais la logique « humaine » convient-elle à Hélène? Celle-ci a-t-elle des raisons sérieuses de s'opposer à son propre départ? N'est-elle pas libre?

HÉLÈNE. — Vous ne me comprenez pas du tout, Hector. Je n'hésite pas à choisir. Ce serait trop facile de dire : je fais ceci,
20 ou je fais cela, pour que ceci ou cela se fît. Vous avez découvert que je suis faible. Vous en êtes tout joyeux. L'homme qui découvre la faiblesse dans une femme, c'est le chasseur à midi qui découvre une source. Il s'en abreuve. Mais n'allez pourtant pas croire, parce que vous avez convaincu la plus faible
25 des femmes, que vous avez convaincu l'avenir. Ce n'est pas en manœuvrant des enfants qu'on détermine le destin... **(61)**

HECTOR. — Les subtilités et les riens grecs m'échappent.

HÉLÈNE. — Il ne s'agit pas de subtilités et de riens. Il s'agit au moins de monstres et de pyramides. **(62)**

30 HECTOR. — Choisissez-vous le départ, oui ou non?

HÉLÈNE. — Ne me brusquez pas... Je choisis les événements comme je choisis les objets et les hommes. Je choisis ceux qui ne sont pas pour moi des ombres. Je choisis ceux que je vois.

HECTOR. — Je sais, vous l'avez dit : ceux que vous voyez
35 colorés. Et vous ne vous voyez pas rentrant dans quelques jours au palais de Ménélas?

HÉLÈNE. — Non. Difficilement.

HECTOR. — On peut habiller votre mari très brillant pour ce retour.

40 HÉLÈNE. — Toute la pourpre[1] de toutes les coquilles ne me le rendrait pas visible.

HECTOR. — Voici ta concurrente, Cassandre. Celle-là aussi lit l'avenir.

HÉLÈNE. — Je ne lis pas l'avenir. Mais, dans cet avenir, je
45 vois des scènes colorées, d'autres ternes. Jusqu'ici ce sont toujours les scènes colorées qui ont eu lieu.

---

1. *Pourpre :* matière colorante d'un rouge vif et soutenu, extraite d'un mollusque gastropode et utilisée par les Phéniciens, les Grecs et les Romains.

QUESTIONS

61. Autre aspect d'Hélène : est-elle lucide? sur elle-même? sur Hector? sur les événements? A quel niveau porte-t-elle le débat? N'y a-t-il pas dans ses paroles comme un avant-goût du dialogue Ulysse-Hector (II, XIII)? — Giraudoux n'a-t-il pas le sens de la formule?

62. Hector comprend-il? Sa tendance à trop simplifier n'a-t-elle pas quelque chose d'inquiétant? Sur quoi se fonde le dialogue entre Hector et Hélène?

HECTOR. — Nous allons vous remettre aux Grecs en plein midi, sur le sable aveuglant, entre la mer violette[1] et le mur ocre. Nous serons tous en cuirasses d'or à jupe rouge, et entre
50 mon étalon blanc et la jument noire de Priam, mes sœurs en peplum vert vous remettront nue à l'ambassadeur grec, dont je devine, au-dessus du casque d'argent, le plumet amarante. Vous voyez cela, je pense?

HÉLÈNE. — Non, du tout. C'est tout sombre. **(63)**

55 HECTOR. — Vous vous moquez de moi, n'est-ce pas?

HÉLÈNE. — Me moquer, pourquoi? Allons! Partons, si vous voulez! Allons nous préparer pour ma remise aux Grecs. Nous verrons bien.

HECTOR. — Vous doutez-vous que vous insultez l'humanité,
60 ou est-ce inconscient?

HÉLÈNE. — J'insulte quoi?

HECTOR. — Vous doutez-vous que votre album de chromos est la dérision du monde? Alors que tous ici nous nous battons, nous nous sacrifions pour fabriquer une heure qui soit à nous,
65 vous êtes là à feuilleter vos gravures prêtes de toute éternité!... Qu'avez-vous? A laquelle vous arrêtez-vous avec ces yeux aveugles? A celle sans doute où vous êtes sur ce même rempart, contemplant la bataille? Vous la voyez, la bataille? **(64)**

HÉLÈNE. — Oui.

70 HECTOR. — Et la ville s'effondre ou brûle, n'est-ce pas?

HÉLÈNE. — Oui. C'est rouge vif.

HECTOR. — Et Pâris? Vous voyez le cadavre de Pâris traîné derrière un char?

HÉLÈNE. — Ah! vous croyez que c'est Pâris? Je vois en effet
75 un morceau d'aurore qui roule dans la poussière. Un diamant

---

1. *Violet :* adjectif qui qualifie souvent la mer dans la poésie homérique.

QUESTIONS

63. Peut-on voir dans cette réplique d'Hélène un avertissement, une menace? Quel est le sens de *coloré* pour Hélène? En quoi le malentendu entre Hector et Hélène est-il significatif et laisse-t-il prévoir le dénouement?

64. Hector semble avoir pénétré le mystère d'Hélène : à quels mots le voit-on? Qu'y a-t-il pour lui d'extrêmement irritant en Hélène? Celle-ci est-elle « aveugle » au sens propre du terme? Quel était le privilège des aveugles dans le monde grec? — De quelle bataille veut-il parler?

Phot. Lipnitzki

HECTOR (Louis Jouvet) et HÉLÈNE (Madeleine Ozeray) au théâtre de l'Athénée lors de la création.

Phot. Bernand.

« Je n'ai jamais bien pu voir Ménélas. » (Scène VIII, ligne 32.)
Pierre Vaneck et Christiane Minazzoli au T.N.P. en 1963.

à sa main étincelle... Mais oui!... Je reconnais souvent mal les visages, mais toujours les bijoux. C'est bien sa bague.

HECTOR. — Parfait... Je n'ose vous questionner sur Andromaque et sur moi... sur le groupe Andromaque-Hector... Vous
80 le voyez! Ne niez pas. Comment le voyez-vous? Heureux, vieilli, luisant?

HÉLÈNE. — Je n'essaye pas de le voir. **(65)**

HECTOR. — Et le groupe Andromaque pleurant sur le corps d'Hector, il luit?

85 HÉLÈNE. — Vous savez, je peux très bien voir luisant, extraordinairement luisant, et qu'il n'arrive rien. Personne n'est infaillible.

HECTOR. — N'insistez pas. Je comprends... Il y a un fils entre la mère qui pleure et le père étendu?

90 HÉLÈNE. — Oui... Il joue avec les cheveux emmêlés du père... Il est charmant.

HECTOR. — Et elles sont au fond de vos yeux ces scènes? On peut les y voir?

HÉLÈNE. — Je ne sais pas. Regardez. **(66)**

95 HECTOR. — Plus rien! Plus rien que la cendre de tous ces incendies, l'émeraude et l'or en poudre! Qu'elle est pure, la lentille du monde! Ce ne sont pourtant pas les pleurs qui doivent la laver... Tu pleurerais, si on allait te tuer, Hélène?

HÉLÈNE. — Je ne sais pas. Mais je crierais. Et je sens que je
100 vais crier, si vous continuez ainsi, Hector... Je vais crier.

HECTOR. — Tu repartiras ce soir pour la Grèce, Hélène, ou je te tue.

HÉLÈNE. — Mais je veux bien partir! Je suis prête à partir. Je vous répète seulement que je ne peux arriver à rien distin-
105 guer du navire qui m'emportera. Je ne vois scintiller ni la ferrure du mât de misaine, ni l'anneau du nez du capitaine, ni le blanc de l'œil du mousse.

QUESTIONS

65. Comment interprétez-vous cette dérobade?

66. Montrez que nous avons là une véritable scène d'anticipation : quelles sont les raisons qui autorisent Giraudoux à nous la faire vivre? Ce jeu avec le temps n'est-il pas un procédé fréquent dans son théâtre (voir *Amphitryon 38*, II, II et III; *Ondine*, II, V et VI-VII)? Le fait de savoir que la guerre a eu lieu supprime-t-il tout intérêt pour le spectateur? — Appréciez la pudeur de l'écrivain.

HECTOR. — Tu rentreras sur une mer grise, sous un soleil gris. Mais il nous faut la paix.

110 HÉLÈNE. — Je ne vois pas la paix. **(67)**

HECTOR. — Demande à Cassandre de te la montrer. Elle est sorcière. Elle évoque formes et génies.

UN MESSAGER. — Hector, Priam te réclame! Les prêtres s'opposent à ce que l'on ferme les portes de la guerre! Ils 115 disent que les dieux y verraient une insulte.

HECTOR. — C'est curieux comme les dieux s'abstiennent de parler eux-mêmes dans les cas difficiles.

LE MESSAGER. — Ils ont parlé eux-mêmes. La foudre est tombée sur le temple, et les entrailles des victimes sont contre 120 le renvoi d'Hélène.

HECTOR. — Je donnerais beaucoup pour consulter aussi les entrailles des prêtres... Je te suis. **(68)**

Le guerrier sort.

HECTOR. — Ainsi, vous êtes d'accord, Hélène?

HÉLÈNE. — Oui.

125 HECTOR. — Vous direz désormais ce que je vous dirai de dire? Vous ferez ce que je vous dirai de faire?

HÉLÈNE. — Oui.

HECTOR. — Devant Ulysse, vous ne me contredirez pas, vous abonderez dans mon sens?

130 HÉLÈNE. — Oui. **(69)**

HECTOR. — Écoute-la, Cassandre, Écoute ce bloc de négation qui dit oui! Tous m'ont cédé. Pâris m'a cédé, Priam m'a cédé, Hélène me cède. Et je sens qu'au contraire dans chacune de ces victoires apparentes, j'ai perdu. On croit lutter 135 contre des géants, on va les vaincre, et il se trouve qu'on lutte

QUESTIONS

67. Comment vous apparaît Hélène? coupable? témoin? Quel crédit accorder à sa bonne volonté? — Certains détails n'ont-ils pas un effet comique?

68. Peut-on voir une trace d'anticléricalisme dans cette réplique? Explicitez sur ce point la pensée d'Hector. — Rapprochez le jugement d'Hector sur les dieux des paroles d'Egisthe (*Electre*, I, III), de Judith (*Judith*, I, IV).

69. Qu'y a-t-il d'étonnant et de suspect dans Hélène?

contre quelque chose d'inflexible qui est un reflet sur la rétine d'une femme. Tu as beau me dire oui, Hélène, tu es comble d'une obstination qui me nargue! **(70)**

HÉLÈNE. — C'est possible. Mais je n'y peux rien. Ce n'est pas la mienne.

HECTOR. — Par quelle divagation le monde a-t-il été placer son miroir dans cette tête obtuse. **(71)**

HÉLÈNE. — C'est regrettable, évidemment. Mais vous voyez un moyen de vaincre l'obstination des miroirs?

HECTOR. — Oui. C'est à cela que je songe depuis un moment.

HÉLÈNE. — Si on les brise, ce qu'ils reflétaient n'en demeure peut-être pas moins?

HECTOR. — C'est là toute la question. **(72)**

AUTRE MESSAGER. — Hector, hâte-toi. La plage est en révolte. Les navires des Grecs sont en vue, et ils ont hissé leur pavillon non au ramat mais à l'écoutière[1]. L'honneur de notre marine est en jeu. Priam craint que l'envoyé ne soit massacré à son débarquement.

HECTOR. — Je te confie Hélène, Cassandre. J'enverrai mes ordres. **(73)**

---

1. *Ramat* et *écoutière* : ces deux termes de « marine » semblent avoir été inventés par Giraudoux.

QUESTIONS

70. Victoires apparentes, défaites réelles : comment s'explique cette contradiction? Hector commence-t-il à entrevoir quel est son véritable ennemi? La lucidité du personnage : qu'est-ce qui l'a suscitée? Est-elle surprenante, après l'entretien qu'il vient d'avoir?

71. Hector ne dégage-t-il pas la responsabilité d'Hélène? Cette réplique nous permet-elle de comprendre l'apparente indifférence d'Hélène? — Quels sont les vrais protagonistes du drame?

72. Ces variations précieuses sur les miroirs n'expriment-elles pas des problèmes sérieux?

73. SUR L'ENSEMBLE DE LA SCÈNE IX. — Précisez la double progression de la scène : *a*) sur le plan dramatique; *b*) sur le plan psychologique et philosophique.

— Hélène est-elle libre? Hector apprécie-t-il correctement la situation?

— Relevez des traits de préciosité jusque dans les répliques les plus graves.

SCÈNE X. — HÉLÈNE, CASSANDRE.

CASSANDRE. — Moi je ne vois rien, coloré ou terne. Mais chaque être pèse sur moi par son approche même. A l'angoisse de mes veines, je sens son destin.

HÉLÈNE. — Moi, dans mes scènes colorées, je vois quelque-
5 fois un détail plus étincelant encore que les autres. Je ne l'ai pas dit à Hector. Mais le cou de son fils est illuminé, la place du cou où bat l'artère...

CASSANDRE. — Moi, je suis comme un aveugle qui va à tâtons. Mais c'est au milieu de la vérité que je suis aveugle.
10 Eux tous voient, et ils voient le mensonge. Je tâte la vérité.

HÉLÈNE. — Notre avantage, c'est que nos visions se confondent avec nos souvenirs, l'avenir avec le passé! On devient moins sensible... C'est vrai que vous êtes sorcière, que vous pouvez évoquer la paix? **(74)**

15 CASSANDRE. — La paix? Très facile. Elle écoute en mendiante derrière chaque porte... La voilà.

La paix apparaît.

HÉLÈNE. — Comme elle est jolie!

LA PAIX. — Au secours, Hélène, aide-moi!

HÉLÈNE. — Mais comme elle est pâle.

20 LA PAIX. — Je suis pâle? Comment, pâle! Tu ne vois pas cet or dans mes cheveux?

HÉLÈNE. — Tiens, de l'or gris? C'est une nouveauté...

LA PAIX. — De l'or gris! Mon or est gris?

La paix disparaît.

HÉLÈNE. — Elle a disparu?

25 CASSANDRE. — Je pense qu'elle se met un peu de rouge.

La paix reparaît, outrageusement fardée.

LA PAIX. — Et comme cela?

QUESTIONS

74. Dialogue entre deux devineresses : montrez qu'elles ont chacune leur procédé pour prédire l'avenir. — En dehors de ce don de prédiction, qu'est-ce qui les différencie des simples mortels? — *Eux tous voient, et ils voient le mensonge :* montrez que ce jugement reprend un thème pascalien (voir les *Pensées* de Pascal, « Disproportion de l'homme », dans les « Nouveaux Classiques Larousse », page 108 et suivantes).

HÉLÈNE. — Je la vois de moins en moins.

LA PAIX. — Et comme cela?

CASSANDRE. — Hélène ne te voit pas davantage.

30 LA PAIX. — Tu me vois, toi, puisque tu me parles!

CASSANDRE. — C'est ma spécialité de parler à l'invisible.

LA PAIX. — Que se passe-t-il donc? Pourquoi les hommes dans la ville et sur la plage poussent-ils ces cris?

CASSANDRE. — Il paraît que leurs dieux entrent dans le jeu 35 et aussi leur honneur.

LA PAIX. — Leurs dieux! Leur honneur!

CASSANDRE. — Oui... Tu es malade! **(75)**

Le rideau tombe. **(76) (77)**

QUESTIONS

75. Pourquoi la paix apparaît-elle comme un fantôme? une malade? — Pourquoi l'entrée des « dieux » et de l' « honneur » dans le jeu constitue-t-elle une menace?

76. SUR LA SCÈNE X. — Quelles expressions font augurer de tragiques événements? Quels événements?

— Sur quels sentiments nous laisse cette scène?

77. SUR L'ENSEMBLE DE L'ACTE PREMIER. — Sur le plan dramatique : les éléments essentiels du drame sont-ils en place?

— Comment se répartissent les protagonistes de la pièce? La présentation des personnages est-elle habile? Quel est l'acteur principal? pourquoi?

— L'action est-elle engagée? l'intrigue nettement dessinée?

— Notre opinion sur Hélène se modifie-t-elle en cours d'acte?

— Giraudoux a livré quelques vérités qui lui tiennent à cœur sur la guerre, sur les hommes, les femmes : lesquelles?

— Le style : l'auteur ne paraît-il pas chercher trop l'effet, la formule? Ne contrarie-t-il pas le tragique de la pièce?

ACTE II

Square clos de palais. A chaque angle, échappée sur la mer. Au centre un monument, les portes de la guerre. Elles sont grandes ouvertes. (1)

SCÈNE PREMIÈRE. — HÉLÈNE, LE JEUNE TROÏLUS.

HÉLÈNE. — Hé, là-bas! Oui, c'est toi que j'appelle!... Approche!

TROÏLUS. — Non.

HÉLÈNE. — Comment t'appelles-tu?

5 TROÏLUS. — Troïlus.

HÉLÈNE. — Viens ici!

TROÏLUS. — Non.

HÉLÈNE. — Viens ici, Troïlus!... *(Troïlus approche.)* Ah! te voilà! Tu obéis quand on t'appelle par ton nom : tu es encore 10 très lévrier. C'est d'ailleurs gentil. Tu sais que tu m'obliges pour la première fois à crier, en parlant à un homme? Ils sont toujours tellement collés à moi que je n'ai qu'à bouger les lèvres. J'ai crié à des mouettes, à des biches, à l'écho, jamais à un homme. Tu me paieras cela... Qu'as-tu? Tu trembles?

15 TROÏLUS. — Je ne tremble pas.

HÉLÈNE. — Tu trembles, Troïlus.

TROÏLUS. — Oui, je tremble.

HÉLÈNE. — Pourquoi es-tu toujours derrière moi? Quand je vais dos au soleil et que je m'arrête, la tête de ton ombre 20 bute toujours contre mes pieds. C'est tout juste si elle ne les dépasse pas. Dis-moi ce que tu veux...

TROÏLUS. — Je ne veux rien.

HÉLÈNE. — Dis-moi ce que tu veux Troïlus!

TROÏLUS. — Tout! Je veux tout!

25 HÉLÈNE. — Tu veux tout. La lune?

TROÏLUS. — Tout! Plus que tout!

QUESTIONS

1. Ce décor est-il conforme à l'esthétique classique? Justifiez-en chaque élément en indiquant son importance du point de vue dramatique ou symbolique.

HÉLÈNE. — Tu parles déjà comme un vrai homme : tu veux m'embrasser, quoi!

TROÏLUS. — Non!

30 HÉLÈNE. — Tu veux m'embrasser, n'est-ce pas mon petit Troïlus?

TROÏLUS. — Je me tuerais aussitôt après!

HÉLÈNE. — Approche... Quel âge as-tu?

TROÏLUS. — Quinze ans... Hélas[1]!

35 HÉLÈNE. — Bravo pour hélas... Tu as déjà embrassé des jeunes filles?

TROÏLUS. — Je les hais.

HÉLÈNE. — Tu en as déjà embrassé?

TROÏLUS. — On les embrasse toutes. Je donnerai ma vie 40 pour n'en avoir embrassé aucune.

HÉLÈNE. — Tu me sembles disposer d'un nombre considérable d'existences. Pourquoi ne m'as-tu pas dit franchement : Hélène, je veux vous embrasser!... Je ne vois aucun mal à ce que tu m'embrasses... Embrasse-moi.

45 TROÏLUS. — Jamais.

HÉLÈNE. — A la fin du jour, quand je m'assieds aux créneaux pour voir le couchant sur les îles, tu serais arrivé doucement, tu aurais tourné ma tête vers toi avec tes mains — de dorée, elle serait devenue sombre, tu l'aurais moins bien vue 50 évidemment — et tu m'aurais embrassée, j'aurais été très contente... Tiens, me serais-je dit, le petit Troïlus m'embrasse!... Embrasse-moi.

TROÏLUS. — Jamais.

HÉLÈNE. — Je vois. Tu me haïrais si tu m'avais embrassée?

55 TROÏLUS. — Ah! Les hommes ont bien de la chance d'arriver à dire ce qu'ils veulent dire!

HÉLÈNE. — Toi tu le dis assez bien. **(2)**

---

1. Parodie de la réponse de Gide, à qui on demandait quel était le plus grand poète : « Victor Hugo... Hélas! »

QUESTIONS

2. SUR LA SCÈNE PREMIÈRE. — Cette scène de séduction se justifie-t-elle sur le plan dramatique? Quel est son intérêt? N'y a-t-il pas quelques points communs entre Troïlus et Chérubin du *Mariage de Figaro?* Lesquels?

SCÈNE II. — HÉLÈNE, PÂRIS, LE JEUNE TROÏLUS.

PÂRIS. — Méfie-toi, Hélène. Troïlus est un dangereux personnage.

HÉLÈNE. — Au contraire. Il veut m'embrasser.

PÂRIS. — Troïlus, tu sais que si tu embrasses Hélène, je
5 te tue!

HÉLÈNE. — Cela lui est égal de mourir, même plusieurs fois.

PÂRIS. — Qu'est-ce qu'il a? Il prend son élan?... Il va bondir sur toi?... Il est trop gentil! Embrasse Hélène, Troïlus. Je te le permets.

10 HÉLÈNE. — Si tu l'y décides, tu es plus malin que moi.

Troïlus qui allait se précipiter sur Hélène s'écarte aussitôt.

PÂRIS. — Écoute, Troïlus! Voici nos vénérables qui arrivent en corps pour fermer les portes de la guerre... Embrasse Hélène devant eux : tu seras célèbre. Tu veux être célèbre, plus tard, dans la vie?

15 TROÏLUS. — Non. Inconnu.

PÂRIS. — Tu ne veux pas devenir célèbre? Tu ne veux pas être riche, puissant?

TROÏLUS. — Non. Pauvre, Laid.

PÂRIS. — Laisse-moi finir!... Pour avoir toutes les femmes!

20 TROÏLUS. — Je n'en veux aucune, aucune!

PÂRIS. — Voilà nos sénateurs! Tu as à choisir : ou tu embrasseras Hélène devant eux, ou c'est moi qui l'embrasse devant toi. Tu préfères que ce soit moi? Très bien! Regarde!... Oh! Quel est ce baiser inédit que tu me donnes, Hélène[1]!

25 HÉLÈNE. — Le baiser destiné à Troïlus.

PÂRIS. — Tu ne sais pas ce que tu perds, mon enfant! Oh! tu t'en vas? Bonsoir!

HÉLÈNE. — Nous nous embrasserons, Troïlus. Je t'en réponds. *Troïlus s'en va.* Troïlus!

30 PÂRIS, *un peu énervé.* — Tu cries bien fort, Hélène! (3) (4)

---

1. A rapprocher du jeu d'Alcmine, dans *Amphitryon 38* (III, v).

QUESTIONS

Questions **3** et **4** : voir page 81.

SCÈNE III. — HÉLÈNE, DEMOKOS, PÂRIS.

DEMOKOS. — Hélène, une minute! Et regarde-moi bien en face. J'ai dans la main un magnifique oiseau que je vais lâcher... Là, tu y es?... C'est cela... Arrange tes cheveux et souris un beau sourire.

5 PÂRIS. — Je ne vois pas en quoi l'oiseau s'envolera mieux si les cheveux d'Hélène bouffent et si elle fait son beau sourire.

HÉLÈNE. — Cela ne peut pas me nuire en tout cas.

DEMOKOS. — Ne bouge plus... Une! Deux! Trois! Voilà... c'est fait, tu peux partir...

10 HÉLÈNE. — Et l'oiseau?

DEMOKOS. — C'est un oiseau qui sait se rendre invisible.

HÉLÈNE. — La prochaine fois demande-lui sa recette.

Elle sort.

PÂRIS. — Quelle est cette farce?

DEMOKOS. — Je compose un chant sur le visage d'Hélène.
15 J'avais besoin de bien le contempler, de le graver dans ma mémoire avec sourire et boucles. Il y est. **(5)**

QUESTIONS

3. SUR LA SCÈNE II. — Quel rôle Giraudoux fait-il jouer à Hélène? N'y a-t-il pas dans cette scène une parodie satirique de certaines pratiques qui ont cours dans le monde des célébrités? Précisez.
— Cette satire conserve-t-elle toute sa portée aujourd'hui?
— Est-elle simplement gaie ou grinçante?

4. SUR L'ENSEMBLE DES SCÈNES PREMIÈRE ET II. — Ces deux scènes sont-elles indispensables à l'intrigue? Caractérisez leur ton, le climat dans lequel elles se déroulent.
— Effet produit sur le spectateur?
— Expliquez le comportement déconcertant de Troïlus.
— Sa présence n'agit-elle pas comme une sorte de révélateur? Quel rôle joue-t-il par rapport à Pâris?

5. SUR LA SCÈNE III. — Encore une scène de transition : montrez-le. Qu'ajoute-t-elle à la connaissance d'Hélène? Ne vise-t-elle pas, comme les deux scènes qui la précèdent, à suggérer la place qu'occupe Hélène chez les Troyens?
— Relevez un discret et plaisant anachronisme.
— Sous quel jour apparaît ici Demokos : laisse-t-il la même impression que dans l'acte premier? Rappelez les traits inquiétants du personnage qui subsistent ici.

SCÈNE IV. — DEMOKOS, PÂRIS, HÉCUBE, LA PETITE POLYXÈNE, ABNÉOS, LE GÉOMÈTRE, QUELQUES VIEILLARDS.

HÉCUBE. — Enfin, vous allez nous la fermer, cette porte?

DEMOKOS. — Certainement non. Nous pouvons avoir à la rouvrir ce soir même.

HÉCUBE. — Hector le veut. Il décidera Priam.

5 DEMOKOS. — C'est ce que nous verrons. Je lui réserve d'ailleurs une surprise, à Hector!

LA PETITE POLYXÈNE. — Où mène-t-elle, la porte, maman?

ABNÉOS. — A la guerre, mon enfant. Quand elle est ouverte, c'est qu'il y a la guerre.

10 DEMOKOS. — Mes amis...

HÉCUBE. — Guerre ou non, votre symbole est stupide. Cela fait tellement peu soigné, ces deux battants toujours ouverts! Tous les chiens s'y arrêtent.

LE GÉOMÈTRE. — Il ne s'agit pas de ménage. Il s'agit de la 15 guerre et des dieux.

HÉCUBE. — C'est bien ce que je dis, les dieux ne savent pas fermer leurs portes. **(6)**

LA PETITE POLYXÈNE. — Moi je les ferme très bien, n'est-ce pas, maman!

20 PÂRIS, *baisant les doigts de la petite Polyxène.* — Tu te prends même les doigts en les fermant, chérie.

DEMOKOS. — Puis-je enfin réclamer un peu de silence, Pâris?... Abnéos, et toi, Géomètre, et vous mes amis, si je vous ai convoqués ici avant l'heure, c'est pour tenir notre premier conseil. 25 Et c'est de bon augure que ce premier conseil de guerre ne soit pas celui des généraux, mais celui des intellectuels. Car il ne suffit pas, à la guerre, de fourbir des armes à nos soldats. Il est indispensable de porter au comble leur enthousiasme.

QUESTIONS

6. Nouvel affrontement Hécube-Demokos : les paroles d'Hécube sont-elles dignes d'une reine? — En quoi leur prosaïsme est-il une forme de sagesse? — A-t-elle un grand respect pour les dieux? Conformité de cette attitude avec celle du monde grec antique. Ce qui la justifie ici, dans la pièce. — En quoi consiste le comique de sa dernière réplique?

L'ivresse physique, que leurs chefs obtiendront à l'instant de
30 l'assaut par un vin à la résine vigoureusement placé, restera vis-à-vis des Grecs inefficiente, si elle ne se double de l'ivresse morale que nous, les poètes, allons leur verser. Puisque l'âge nous éloigne du combat, servons du moins à le rendre sans merci. Je vois que tu as des idées là-dessus, Abnéos, et je te
35 donne la parole. (7)

ABNÉOS. — Oui. Il nous faut un chant de guerre.

DEMOKOS. — Très juste. La guerre exige un chant de guerre.

PÂRIS. — Nous nous en sommes passé jusqu'ici.

HÉCUBE. — Elle chante assez fort elle-même...

40 ABNÉOS. — Nous nous en sommes passé, parce que nous n'avons jamais combattu que des Barbares. C'était de la chasse. Le cor suffisait. Avec les Grecs, nous entrons dans un domaine de guerre autrement relevé.

DEMOKOS. — Très exact, Abnéos. Ils ne se battent pas avec
45 tout le monde.

PÂRIS. — Nous avons déjà un chant national.

ABNÉOS. — Oui. Mais c'est un chant de paix.

PÂRIS. — Il suffit de chanter un chant de paix avec grimace et gesticulation pour qu'il devienne un chant de guerre...
50 Quelles sont déjà les paroles du nôtre?

ABNÉOS. — Tu le sais bien. Anodines. — C'est nous qui fauchons les moissons, qui pressons le sang de la vigne!

DEMOKOS. — C'est tout au plus un chant de guerre contre les céréales. Vous n'effraierez pas les Spartiates en menaçant
55 le blé noir[1].

PÂRIS. — Chante-le avec un javelot à la main et un mort à tes pieds, et tu verras.

---

1. *Blé noir :* allusion au brouet noir, grossier, qui servait de nourriture aux Spartiates, et, à coup sûr, au « pain noir » des soldats allemands.

QUESTIONS

7. A travers les paroles de Demokos, Giraudoux fait la satire de certains personnages : lesquels? d'un certain type de discours : lequel? — L'écrivain démasque les vieillards : quel grave reproche leur fait-il? Pensez au *Cid :* Rodrigue n'avait-il pas les mêmes griefs contre son vieux père don Diègue (III, VI)?

HÉCUBE. — Il y a le mot sang, c'est toujours cela.

PÂRIS. — Le mot moisson aussi. La guerre l'aime assez. **(8)**

60 ABNÉOS. — Pourquoi discuter, puisque Demokos peut nous en livrer un tout neuf dans les deux heures.

DEMOKOS. — Deux heures, c'est un peu court.

HÉCUBE. — N'aie aucune crainte, c'est plus qu'il ne te faut! Et après le chant ce sera l'hymne, et après l'hymne la cantate.
65 Dès que la guerre est déclarée, impossible de tenir les poètes. La rime, c'est encore le meilleur tambour. **(9)**

DEMOKOS. — Et le plus utile, Hécube, tu ne crois pas si bien dire. Je la connais la guerre. Tant qu'elle n'est pas là, tant que ses portes sont fermées, libre à chacun de l'insulter
70 et de la honnir. Elle dédaigne les affronts du temps de paix. Mais, dès qu'elle est présente, son orgueil est à vif, on ne gagne pas sa faveur, on ne la gagne, que si on la complimente et la caresse. C'est alors la mission de ceux qui savent parler et écrire, de louer la guerre, de l'aduler à chaque heure du jour,
75 de la flatter sans arrêt aux places claires ou équivoques de son énorme corps, sinon on se l'aliène. Voyez les officiers : Braves devant l'ennemi, lâches devant la guerre, c'est la devise des vrais généraux. **(10)**

PÂRIS. — Et tu as même déjà une idée pour ton chant?

80 DEMOKOS. — Une idée merveilleuse, que tu comprendras mieux que personne... Elle doit être lasse qu'on l'affuble de

QUESTIONS

8. Il est question ici des procédés par lesquels on entretient la guerre, le chant de guerre, par exemple : est-il nécessaire? Giraudoux le confond-il avec le chant national? Peut-on voir dans certains mots des allusions à *la Marseillaise?* — Dans quel camp Pâris se range-t-il? — Qui étaient les Barbares pour les Grecs?

9. Contre qui est dirigée la satire? Citez un poète français d'avant 1914 dont Giraudoux dénonce ici les œuvres pernicieuses. L'auteur n'attribue-t-il pas un trop grand rôle à la poésie? Définissez-le exactement d'après cette scène et la scène VI de l'acte premier.

10. Quel climat moral et intellectuel doit régner, selon Demokos, lorsque la guerre éclate? Quelle place revient à l'écrivain, au penseur dans un pays en guerre? En quoi « l'intellectuel » est-il dangereux? A qui Giraudoux s'en prend-il particulièrement? aux guerriers? ou à ceux qui les poussent? — Montrez que l'ultime formule de Demokos rappelle la scène des généraux et leur définition de la guerre (*Siegfried*, II, IV).

cheveux de Méduse, de lèvres de Gorgone[1] : j'ai l'idée de comparer son visage au visage d'Hélène. Elle sera ravie de cette ressemblance.

85 LA PETITE POLYXÈNE. — A quoi ressemble-t-elle, la guerre, maman?

HÉCUBE. — A ta tante Hélène.

LA PETITE POLYXÈNE. — Elle est bien jolie. **(11)**

DEMOKOS. — Donc, la discussion est close. Entendu pour 90 le chant de guerre. Pourquoi t'agiter, Géomètre.

LE GÉOMÈTRE. — Parce qu'il y a plus pressé que le chant de guerre, beaucoup plus pressé!

DEMOKOS. — Tu veux dire les médailles, les fausses nouvelles? **(12)**

95 LE GÉOMÈTRE. — Je veux dire les épithètes[2].

HÉCUBE. — Les épithètes?

LE GÉOMÈTRE. — Avant de se lancer leurs javelots, les guerriers grecs se lancent des épithètes... Cousin de crapaud, se crient-ils! Fils de bœuf... Ils s'insultent, quoi! Et ils ont raison. Ils savent 100 que le corps est plus vulnérable quand l'amour-propre est à vif. Des guerriers connus pour leur sang-froid le perdent illico quand on les traite de verrues ou de corps thyroïdes. Nous autres Troyens manquons terriblement d'épithètes. **(13)**

DEMOKOS. — Le Géomètre a raison. Nous sommes vraiment 105 les seuls à ne pas insulter nos adversaires avant de les tuer...

PÂRIS. — Tu ne crois pas suffisant que les civils s'insultent, Géomètre?

---

1. *Gorgone :* monstre mythologique. Les trois Gorgones, Sthéno, Euryale et Méduse, étaient, selon Eschyle, des « vierges ailées à la chevelure de serpents » qui pétrifiaient les mortels qui les regardaient; 2. *Epithètes :* qualifiées d' « homériques ». Rappel parodique des injures que se lançaient les héros d'Homère.

QUESTIONS

11. L'idée merveilleuse de Demokos n'est-elle pas une belle hypocrisie? Ce procédé a-t-il été employé pendant la Première Guerre mondiale? pendant la Seconde Guerre mondiale? Donnez des exemples (cf. bombe d'Hiroshima).

12. Précisez les allusions. Qu'est-ce qui rend la satire féroce?

13. Montrez qu'à travers une parodie drôle de *l'Iliade* Giraudoux dénonce des procédés qui ont cours au début de chaque guerre.

LE GÉOMÈTRE. — Les armées doivent partager les haines des civils. Tu les connais, sur ce point, elles sont décevantes. Quand
110 on les laisse à elles-mêmes, elles passent leur temps à s'estimer. Leurs lignes déployées deviennent bientôt les seules lignes de vraie fraternité dans le monde, et du fond du champ de bataille, où règne une considération mutuelle, la haine est refoulée sur les écoles, les salons ou le petit commerce. Si nos soldats
115 ne sont pas au moins à égalité dans le combat d'épithètes, ils perdront tout goût à l'insulte, à la calomnie, et par suite immanquablement à la guerre. **(14)**

DEMOKOS. — Adopté! Nous leur organiserons un concours dès ce soir.

120 PÂRIS. — Je les crois assez grands pour les trouver eux-mêmes.

DEMOKOS. — Quelle erreur! Tu les trouverais de toi-même, tes épithètes, toi qui passes pour habile?

PÂRIS. — J'en suis persuadé.

125 DEMOKOS. — Tu te fais des illusions. Mets-toi en face d'Abnéos, et commence.

PÂRIS. — Pourquoi d'Abnéos?

DEMOKOS. — Parce qu'il prête aux épithètes, ventru et bancal comme il est. **(15)**

130 ABNÉOS. — Dis donc, moule à tarte!

PÂRIS. — Non. Abnéos ne m'inspire pas. Mais en face de toi, si tu veux.

DEMOKOS. — De moi? Parfait! Tu vas voir ce que c'est, l'épithète improvisée! Compte dix pas... J'y suis... Commence...

135 HÉCUBE. — Regarde-le bien. Tu seras inspiré.

PÂRIS. — Vieux parasite! Poète aux pieds sales!

QUESTIONS

14. Dans quelle mesure cette réplique du Géomètre est-elle écrite avec les souvenirs de la Première Guerre mondiale? Quels sont, d'après Giraudoux, les fauteurs de guerre? Qu'y a-t-il d'absurde dans la situation décrite par le Géomètre? Éclairez ses propos sur la fraternité des armées par des témoignages plus ou moins romancés (voir *A l'ouest rien de nouveau, le Grand Cirque*). — N'y a-t-il pas chez Giraudoux une haine d'ancien soldat pour « l'arrière »?

15. Précisez un trait de caractère de Demokos.

DEMOKOS. — Une seconde... Si tu faisais précéder les épithètes du nom, pour éviter les méprises...

PÂRIS. — En effet, tu as raison... Demokos! Œil de veau!
140 Arbre à pellicules!

DEMOKOS. — C'est grammaticalement correct, mais bien naïf. En quoi le fait d'être appelé Arbre à pellicules peut-il me faire monter l'écume aux lèvres et me pousser à tuer! Arbre à pellicules est complètement inopérant.

145 HÉCUBE. — Il t'appelle aussi Œil de veau.

DEMOKOS. — Œil de veau est un peu mieux... Mais tu vois comme tu patauges, Pâris? Cherche donc ce qui peut m'atteindre. Quels sont mes défauts, à ton avis? **(16)**

PÂRIS. — Tu es lâche, ton haleine est fétide, et tu n'as aucun
150 talent.

DEMOKOS. — Tu veux une gifle?

PÂRIS. — Ce que j'en dis, c'est pour te faire plaisir. **(17)**

LA PETITE POLYXÈNE. — Pourquoi gronde-t-on l'oncle Demokos, maman?

155 HÉCUBE. — Parce que c'est un serin, chérie!

DEMOKOS. — Vous dites, Hécube?

HÉCUBE. — Je dis que tu es un serin, Demokos. Je dis que si les serins avaient la bêtise, la prétention, la laideur et la puanteur des vautours, tu serais un serin. **(18)**

160 DEMOKOS. — Tiens, Pâris! Ta mère est plus forte que toi. Prends modèle **(19)**. Une heure d'exercice par jour et par soldat, et Hécube nous donne la supériorité en épithètes. Et pour le chant de la guerre, je ne sais pas non plus s'il n'y aurait pas avantage à le lui confier...

QUESTIONS

16. Étudiez le comportement de Demokos. Montrez qu'il est : *a*) celui d'un pédant; *b*) d'un homme sûr de lui.

17. En quoi consiste le comique de ces échanges? Appréciez l'ironie de l'ultime réplique de Pâris.

18. Quel est le ton des paroles d'Hécube? Montrez-en la profondeur et le mépris. Cette critique de Demokos enveloppe-t-elle tous les intellectuels? tous les « poètes »?

19. Demokos a-t-il compris?

165 HÉCUBE. — Si tu veux. Mais je ne dirais pas qu'elle ressemble à Hélène.

DEMOKOS. — Elle ressemble à qui, d'après toi?

HÉCUBE. — Je te le dirai quand la porte sera fermée. **(20)**

SCÈNE V. — LES MÊMES, PRIAM, HECTOR, BUSIRIS, puis ANDROMAQUE, puis HÉLÈNE.

Pendant la fermeture des portes, Andromaque prend à part la petite Polyxène, et lui confie une commission ou un secret.

HECTOR. — Elle va l'être.

DEMOKOS. — Un moment, Hector!

HECTOR. — La cérémonie n'est pas prête?

HÉCUBE. — Si. Les gonds nagent dans l'huile d'olive.

5 HECTOR. — Alors?

PRIAM. — Ce que nos amis veulent dire, Hector, c'est que la guerre aussi est prête. Réfléchis bien. Ils n'ont pas tort. Si tu fermes cette porte, il va peut-être falloir la rouvrir dans une minute. **(21)**

10 HÉCUBE. — Une minute de paix, c'est bon à prendre.

HECTOR. — Mon père, tu dois pourtant savoir ce que signifie la paix pour des hommes qui depuis des mois se battent. C'est toucher enfin le fond pour ceux qui se noient ou s'enlisent. Laisse-nous prendre pied sur le moindre carré de paix, effleurer 15 la paix une minute, fût-ce de l'orteil!

QUESTIONS

20. SUR L'ENSEMBLE DE LA SCÈNE IV. — Cette scène ne marque-t-elle pas elle aussi une pause dans l'action? Quel est son rôle? son intérêt? Connaissons-nous bien le climat qui règne à Troie juste avant l'arrivée des Grecs?

— Relevez les traits de parodie et de satire qui visent aussi bien la Première Guerre mondiale que la guerre de Troie.

— Un personnage, Demokos, est dangereux : pourquoi? Il est comique : ne peut-on pas le comparer au Trissotin des *Femmes savantes?*

— Précisez l'attitude de Giraudoux tout au long de cette scène.

21. Appréciez la détermination d'Hector. — A ce moment de la tragédie, y a-t-il plus de raisons pour que les portes soient fermées que pour qu'elles soient ouvertes? — Les paroles de Priam ne sont-elles pas justifiées par la scène qui vient d'avoir lieu?

PRIAM. — Hector, songe que jeter aujourd'hui le mot paix dans la ville est aussi coupable que d'y jeter un poison. Tu vas y détendre le cuir et le fer. Tu vas frapper avec le mot paix la monnaie courante des souvenirs, des affections, des espoirs.
20 Les soldats vont se précipiter pour acheter le pain de paix, boire le vin de paix, étreindre la femme de paix, et dans une heure tu les remettras face à la guerre.

HECTOR. — La guerre n'aura pas lieu! **(22)**

On entend des clameurs du côté du port.

DEMOKOS. — Non? Écoute!

25 HECTOR. — Fermons les portes. C'est ici que nous recevrons tout à l'heure les Grecs. La conversation sera déjà assez rude. Il convient de les recevoir dans la paix.

PRIAM. — Mon fils, savons-nous même si nous devons permettre aux Grecs de débarquer?

30 HECTOR. — Ils débarqueront. L'entrevue avec Ulysse est notre dernière chance de paix.

DEMOKOS. — Il ne débarqueront pas. Notre honneur est en jeu. Nous serions la risée du monde...

HECTOR. — Et tu prends sur toi de conseiller au Sénat une
35 mesure qui signifie la guerre? **(23)**

DEMOKOS. — Sur moi? Tu tombes mal. Avance. Busiris. Ta mission commence.

HECTOR. — Quel est cet étranger?

DEMOKOS. — Cet étranger est le plus grand expert vivant
40 du droit des peuples. Notre chance veut qu'il soit aujourd'hui de passage dans Troie. Tu ne diras pas que c'est un témoin

QUESTIONS

22. Échange pathétique : analysez les deux grands sentiments qui animent Hector? Quelles images de la guerre voyez-vous derrière ses propos? Caractérisez le son de sa voix. — Cependant, d'un autre point de vue, Priam a-t-il entièrement tort? — Expliquez le mot *poison :* quels sentiments nourrit-on en temps de guerre à l'égard des pacifistes? Quel danger représentent-ils, selon Priam? Analysez la réplique d'Hector *La guerre n'aura pas lieu!* (ligne 23). Le danger est-il écarté? Montrez qu'au contraire les partisans de la guerre font de nets progrès. Hector est-il aussi convaincu qu'il veut le paraître ou bien cherche-t-il à le paraître tant pour se persuader lui-même que pour entraîner les autres?

23. Le danger ne croît-il pas brusquement? L'arrivée des Grecs ne risque-t-elle pas d'être utilisée comme un prétexte par les bellicistes? Que se passe-t-il en effet dès que Priam soulève la question du débarquement?

partial. C'est un neutre. Notre Sénat se range à son avis, qui sera demain celui de toutes les nations. **(24)**

HECTOR. — Et quel est ton avis?

45 BUSIRIS. — Mon avis, Princes, après constat de visu et enquête subséquente, est que les Grecs se sont rendus vis-à-vis de Troie coupables de trois manquements aux règles internationales. Leur permettre de débarquer serait vous retirer cette qualité d'offensé qui vous vaudra, dans le conflit, la sympathie 50 universelle.

HECTOR. — Explique-toi.

BUSIRIS. — Premièrement ils ont hissé leur pavillon au ramat et non à l'écoutière. Un navire de guerre, princes et chers collègues, hisse sa flamme au ramat dans le seul cas de réponse 55 au salut d'un bateau chargé de bœufs. Devant une ville et sa population, c'est donc le type même de l'insulte. Nous avons d'ailleurs un précédent. Les Grecs ont hissé l'année dernière leur pavillon au ramat en entrant dans le port d'Ophéa. La riposte a été cinglante. Ophéa a déclaré la guerre.

60 HECTOR. — Et qu'est-il arrivé?

BUSIRIS. — Ophéa a été vaincue. Il n'y a plus d'Ophéa, ni d'Ophéens.

HÉCUBE. — Parfait.

BUSIRIS. — L'anéantissement d'une nation ne modifie en 65 rien l'avantage de sa position morale internationale.

HECTOR. — Continue.

BUSIRIS. — Deuxièmement, la flotte grecque en pénétrant dans vos eaux territoriales a adopté la formation dite de face. Il avait été question, au dernier congrès, d'inscrire cette for-70 mation dans le paragraphe des mesures dites défensives-offensives[1]. J'ai été assez heureux pour obtenir qu'on lui restituât sa vraie qualité de mesure offensive-défensive : elle est

1. Allusion à toute une littérature de l'entre-deux-guerres, où l'on élaborait une stratégie militaire en proposant des définitions de l'offensive et de la défensive. La célèbre ligne Maginot a été l'aboutissement de ces réflexions.

QUESTIONS

24. Demokos pousse-t-il le courage jusqu'à prendre ses responsabilités? — Qu'est-ce qui justifie l'intervention de Busiris? Quelles précautions Demokos prend-il lorsqu'il présente Busiris? Hector ne se trouve-t-il pas en position de faiblesse?

donc bel et bien une des formes larvées du front de mer qui est lui-même une forme larvée du blocus, c'est-à-dire qu'elle
75 constitue un manquement au premier degré! Nous avons aussi un précédent. Les navires grecs, il y a cinq ans, ont adopté la formation de face en ancrant devant Magnésie. Magnésie dans l'heure a déclaré la guerre.

HECTOR. — Elle l'a gagnée?

80 BUSIRIS. — Elle l'a perdue. Il ne subsiste plus une pierre de ses murs. Mais mon paragraphe subsiste.

HÉCUBE. — Je t'en félicite. Nous avions eu peur.

HECTOR. — Achève.

BUSIRIS. — Le troisième manquement est moins grave. Une
85 des trirèmes grecques a accosté sans permission et par traîtrise. Son chef Oiax, le plus brutal et le plus mauvais coucheur des Grecs, monte vers la ville en semant le scandale et la provocation, et criant qu'il veut tuer Pâris. Mais, au point de vue international, ce manquement est négligeable. C'est un man-
90 quement qui n'a pas été fait dans les formes. **(25)**

DEMOKOS. — Te voilà renseigné. La situation a deux issues. Encaisser un outrage ou le rendre. Choisis.

HECTOR. — Oneah, cours au-devant d'Oiax! Arrange-toi pour le rabattre ici.

95 PÂRIS. — Je l'y attends.

HECTOR. — Tu me feras le plaisir de rester au Palais jusqu'à ce que je t'appelle. Quant à toi, Busiris, apprends que notre ville n'entend d'aucune façon avoir été insultée par les Grecs.

BUSIRIS. — Je n'en suis pas surpris. Sa fierté d'hermine est
100 légendaire.

HECTOR. — Tu vas donc, et sur-le-champ, me trouver une thèse qui permette à notre Sénat de dire qu'il n'y a pas eu manquement de la part de nos visiteurs, et à nous, hermines immaculées, de les recevoir en hôtes.

QUESTIONS

25. Le discours de Busiris est une parodie : quel est le modèle parodié? Relevez les procédés de cette parodie. — Soulignez et caractérisez les absurdités tragiques de ce chef-d'œuvre d'éloquence juridique. — Qu'est-ce qui compte le plus pour Giraudoux, la forme ou le fond? N'y a-t-il pas un écart entre le « droit » selon Busiris et le sens commun? La situation est inquiétante, et pourtant on rit : pourquoi?

105 DEMOKOS. — Quelle est cette plaisanterie?

BUSIRIS. — C'est contre les faits, Hector.

HECTOR. — Mon cher Busiris, nous savons tous ici que le droit est la plus puissante des écoles de l'imagination. Jamais poète n'a interprété la nature aussi librement qu'un juriste 110 la réalité. **(26)**

BUSIRIS. — Le sénat m'a demandé une consultation, je la donne.

HECTOR. — Je te demande, moi, une interprétation. C'est plus juridique encore.

115 BUSIRIS. — C'est contre ma conscience.

HECTOR. — Ta conscience a vu périr Ophéa, périr Magnésie, et elle envisage d'un cœur léger la perte de Troie?

HÉCUBE. — Oui. Il est de Syracuse.

HECTOR. — Je t'en supplie, Busiris. Il y va de la vie de deux 120 peuples. Aide-nous.

BUSIRIS. — Je ne peux vous donner qu'une aide, la vérité.

HECTOR. — Justement. Trouve une vérité qui nous sauve. Si le droit n'est pas l'armurier des innocents, à quoi sert-il? Forge-nous une vérité. D'ailleurs, c'est très simple, si tu ne 125 la trouves pas, nous te gardons ici tant que durera la guerre.

BUSIRIS. — Que dites-vous?

DEMOKOS. — Tu abuses de ton rang, Hector!

HÉCUBE. — On emprisonne le droit pendant la guerre. On peut bien emprisonner un juriste. **(27)**

130 HECTOR. — Tiens-le-toi pour dit, Busiris. Je n'ai jamais manqué ni à mes menaces ni à mes promesses. Ou ces gardes

QUESTIONS

26. Cette critique du droit n'est-elle pas étonnante? Réfléchissez à la notion de droit naturel telle qu'elle a été mise en évidence au XVIIIe siècle. — Hector fait-il allusion à des erreurs possibles, contingentes, des juristes ou, au contraire, à une perversion constante de leur attitude?

27. Hector fait pression sur Busiris : en a-t-il objectivement le droit? Ne se met-il pas dans son tort? Pouvons-nous cependant le blâmer? Quelles justifications se donne-t-il? — Le débat Hector-Busiris n'exprime-t-il pas l'éternel conflit entre l'esprit et la lettre? Qu'incarnent respectivement Busiris et Hector? N'y a-t-il pas abus de mot lorsque Busiris se retranche derrière sa « conscience »? — Giraudoux diplomate a-t-il quelque illusion sur le comportement des chefs d'État en temps de guerre?

La théorie
des fanatiques.
Théâtre national
populaire, 1963.

Phot. Bernand.

te mènent en prison pour des années, ou tu pars ce soir même couvert d'or. Ainsi renseigné, soumets de nouveau la question à ton examen le plus impartial. **(28)**

135 BUSIRIS. — Évidemment, il y a des recours.

HECTOR. — J'en étais sûr.

BUSIRIS. — Pour le premier manquement, par exemple, ne peut-on interpréter dans certaines mers bordées de régions fertiles le salut au bateau chargé de bœufs comme un hommage 140 de la marine à l'agriculture?

HECTOR. — En effet, c'est logique. Ce serait en somme le salut de la mer à la terre.

BUSIRIS. — Sans compter qu'une cargaison de bétail peut être une cargaison de taureaux. L'hommage en ce cas touche 145 même à la flatterie.

HECTOR. — Voilà. Tu m'as compris. Nous y sommes.

BUSIRIS. — Quant à la formation de face, il est tout aussi naturel de l'interpréter comme une avance que comme une provocation. Les femmes qui veulent avoir des enfants se 150 présentent de face, et non de flanc.

HECTOR. — Argument décisif.

BUSIRIS. — D'autant que les Grecs ont à leur proue des nymphes sculptées gigantesques. Il est permis de dire que le fait de présenter aux Troyens, non plus le navire en tant 155 qu'unité navale, mais la nymphe en tant que symbole fécondant, est juste le contraire d'une insulte. Une femme qui vient vers vous nue et les bras ouverts n'est pas une menace, mais une offre. Une offre à causer, en tout cas...

HECTOR. — Et voilà notre honneur sauf, Demokos. Que 160 l'on publie dans la ville la consultation de Busiris, et toi, Minos[1], cours donner l'ordre au capitaine du port de faire immédiatement débarquer Ulysse. **(29)**

---

1. *Minos :* un des vieillards qui assistent sans rien dire à la scène.

QUESTIONS

28. Appréciez l'ironie du mot « impartial ».

29. Deuxième volet de la consultation de Busiris : qu'apporte-t-il de nouveau par rapport au premier? Y a-t-il moins de logique et de « vérité » dans le second volet? Énumérez les nouveaux arguments; ne sont-ils pas comiques pour la plupart? Giraudoux a-t-il fait la preuve que « le droit est la plus puissante des écoles de l'imagination »?

DEMOKOS. — Cela devient impossible de discuter l'honneur avec ces anciens combattants. Ils abusent vraiment du fait
165 qu'on ne peut les traiter de lâches.

LE GÉOMÈTRE. — Prononce en tout cas le discours aux morts, Hector. Cela te fera réfléchir...

HECTOR. — Il n'y aura pas de discours aux morts. **(30)**

PRIAM. — La cérémonie le comporte. Le général victorieux
170 doit rendre hommage aux morts quand les portes se ferment.

HECTOR. — Un discours aux morts de la guerre, c'est un plaidoyer hypocrite pour les vivants, une demande d'acquittement. C'est la spécialité des avocats. Je ne suis pas assez sûr de mon innocence...

175 DEMOKOS. — Le commandement est irresponsable.

HECTOR. — Hélas, tout le monde l'est, les dieux aussi! D'ailleurs je l'ai fait déjà, mon discours aux morts. Je le leur ai fait à leur dernière minute de vie, alors qu'adossés un peu de biais aux oliviers du champ de bataille, ils disposaient d'un
180 reste d'ouïe et de regard. Et je peux vous répéter ce que je leur ai dit. Et à l'éventré, dont les prunelles tournaient déjà, j'ai dit : « Eh bien, mon vieux, ça ne va pas si mal que ça... » Et à celui dont la massue avait ouvert en deux le crâne : « Ce que tu peux être laid avec ce nez fendu! » Et à mon petit écuyer,
185 dont le bras gauche pendait et dont fuyait le dernier sang : « Tu as de la chance de t'en tirer avec le bras gauche... » Et je suis heureux de leur avoir fait boire à chacun une suprême goutte à la gourde de la vie. C'était tout ce qu'ils réclamaient, ils sont morts en la suçant... Et je n'ajouterai pas un mot.
190 Fermez les portes. **(31)**

LA PETITE POLYXÈNE. — Il est mort aussi, le petit écuyer?

HECTOR. — Oui, mon chat. Il est mort. Il a soulevé la main droite. Quelqu'un que je ne voyais pas le prenait par sa main valide. Et il est mort.

QUESTIONS

30. Expliquez le refus d'Hector en vous rapportant à ce que Giraudoux écrivait de Rebendart (Poincaré) dans *Bella*.

31. Hector motive son refus : les arguments de son réquisitoire? Dans quelle mesure Hector peut-il se sentir coupable? — Hector prélude malgré lui à son discours; quel ton adoptera-t-il? Notez la présence de traits réalistes. Appréciez la pudeur du soldat. Ce discours traduit un refus : lequel? Peut-on d'ailleurs vraiment parler de discours? Demokos saurait-il s'en satisfaire?

195 DEMOKOS. — Notre général semble confondre paroles aux mourants et discours aux morts.

PRIAM. — Ne t'obstine pas, Hector.

HECTOR. — Très bien, très bien, je leur parle...

Il se place au pied des portes.

HECTOR. — O vous qui ne nous entendez pas, qui ne nous 200 voyez pas, écoutez ces paroles, voyez ce cortège. Nous sommes les vainqueurs. Cela vous est bien égal, n'est-ce pas? Vous aussi vous l'êtes. Mais, nous, nous sommes les vainqueurs vivants. C'est ici que commence la différence. C'est ici que j'ai honte. Je ne sais si dans la foule des morts on distingue 205 les morts vainqueurs par une cocarde. Les vivants, vainqueurs ou non, ont la vraie cocarde, la double cocarde. Ce sont leurs yeux. Nous, nous avons deux yeux, mes pauvres amis. Nous voyons le soleil. Nous faisons tout ce qui se fait dans le soleil. Nous mangeons. Nous buvons... Et dans le clair de lune!... 210 Nous couchons avec nos femmes... Avec les vôtres aussi... **(32)**

DEMOKOS. — Tu insultes les morts, maintenant?

HECTOR. — Vraiment, tu crois?

DEMOKOS. — Ou les morts, ou les vivants.

HECTOR. — Il y a une distinction...

215 PRIAM. — Achève, Hector... Les Grecs débarquent...

HECTOR. — J'achève... O vous qui ne sentez pas, qui ne touchez pas, respirez cet encens, touchez ces offrandes. Puisqu'enfin c'est un général sincère qui vous parle, apprenez que je n'ai pas une tendresse égale, un respect égal pour vous 220 tous. Tout morts que vous êtes, il y a chez vous la même proportion de braves et de peureux que chez nous qui avons survécu et vous ne me ferez pas confondre, à la faveur d'une cérémonie, les morts que j'admire avec les morts que je n'admire pas. Mais ce que j'ai à vous dire aujourd'hui, c'est que la guerre 225 me semble la recette la plus sordide et la plus hypocrite pour

QUESTIONS

32. L'exorde s'ouvre sur un paradoxe : n'est-ce qu'une figure de style conforme à la rhétorique traditionnelle? Le paradoxe n'est-il pas plutôt ici le moyen de faire éclater une imposture? Montrez que la suite prend le contre-pied des discours habituels. Relevez les tournures qui prouvent qu'Hector refuse de jouer le jeu hypocrite qu'il dénonçait plus haut. Insulte-t-il, comme le prétend Demokos, les morts? Quels sont ses vrais sentiments à leur égard?

égaliser les humains et que je n'admets pas plus la mort comme châtiment ou comme expiation au lâche que comme récompense aux vivants. Aussi qui que vous soyez, vous absents, vous inexistants, vous oubliés, vous sans occupation, sans
230 repos, sans être, je comprends en effet qu'il faille en fermant ces portes excuser près de vous ces déserteurs que sont les survivants, et ressentir comme un privilège et un vol ces deux biens qui s'appellent, de deux noms dont j'espère que la résonance ne vous atteint jamais, la chaleur et le ciel. **(33)**

235 LA PETITE POLYXÈNE. — Les portes se ferment, maman!

HÉCUBE. — Oui, chérie.

LA PETITE POLYXÈNE. — Ce sont les morts qui les poussent.

HÉCUBE. — Ils aident, un petit peu.

LA PETITE POLYXÈNE. — Ils aident bien, surtout à droite.

240 HECTOR. — C'est fait? Elles sont fermées?

LE GARDE. — Un coffre-fort...

HECTOR. — Nous sommes en paix, père, nous sommes en paix.

HÉCUBE. — Nous sommes en paix!

245 LA PETITE POLYXÈNE. — On se sent bien mieux, n'est-ce pas, maman?

HECTOR. — Vraiment, chérie!

LA PETITE POLYXÈNE. — Moi je me sens bien mieux.

La musique des Grecs éclate.

UN MESSAGER. — Leurs équipages ont mis pied à terre, Priam!

250 DEMOKOS. — Quelle musique! Quelle horreur de musique! C'est de la musique antitroyenne au plus haut point! Allons les recevoir comme il convient.

HECTOR. — Recevez-les royalement et qu'ils soient ici sans encombre. Vous êtes responsables!

255 LE GÉOMÈTRE. — Opposons-leur en tout cas la musique

QUESTIONS

33. Étudiez la composition de cette péroraison, ses aspects parodiques et satiriques. Relevez les expressions qui « démystifient » ce genre faux qu'est le discours aux morts. Montrez qu'Hector n'est dupe ni des morts ni des vivants. — Quel réquisitoire dresse-t-il contre la guerre? — Quel est le ton général de ce discours? Convient-il à la tragédie? Quel effet ce discours pouvait-il produire en 1935?

troyenne. Hector, à défaut d'autre indignation, autorisera peut-être le conflit musical ?

LA FOULE. — Les Grecs! Les Grecs! **(34)**

UN MESSAGER. — Ulysse est sur l'estacade, Priam! Où faut-il 260 le conduire?

PRIAM. — Ici même. Préviens-nous au palais... Toi aussi, viens, Pâris. Tu n'as pas trop à circuler, en ce moment.

HECTOR. — Allons préparer notre discours aux Grecs, père.

DEMOKOS. — Prépare-le un peu mieux que celui aux morts, 265 tu trouveras plus de contradiction. *Priam et ses fils sortent.* Tu t'en vas aussi, Hécube. Tu t'en vas sans nous avoir dit à quoi ressemblait la guerre?

HÉCUBE. — Tu tiens à le savoir?

DEMOKOS. — Si tu l'as vue, dis-le.

270 HÉCUBE. — A un cul de singe. Quand la guenon est montée à l'arbre et nous montre un fondement rouge, tout squameux et glacé, ceint d'une perruque immonde, c'est exactement la guerre que l'on voit, c'est son visage.

DEMOKOS. — Avec celui d'Hélène, cela lui en fait deux. **(35)** *Il sort.*

275 ANDROMAQUE. — La voilà justement, Hélène. Polyxène, tu te rappelles bien ce que tu as à lui dire.

LA PETITE POLYXÈNE. — Oui...

ANDROMAQUE. — Va... **(36)**

QUESTIONS

34. L'arrivée des Grecs relance l'action : se produit-elle au bon moment? Comment peut-elle être ressentie : *a*) par les acteurs; *b*) par les spectateurs? — Pourquoi cette aversion pour la musique grecque? Giraudoux ne dénonce-t-il pas ici une triste vérité de temps de guerre (voir l'attitude des Français à l'égard de la culture allemande pendant la guerre, et réciproquement des Allemands à l'égard de la nôtre)?

35. Montrez l'habileté de Giraudoux à renouer les fils d'un dialogue interrompu (fin de la scène IV). — L'auteur prête à la guerre deux visages : est-ce illogisme de sa part? Répondez à cette question en vous reportant à la scène III de l'acte premier.

36. SUR L'ENSEMBLE DE LA SCÈNE V. — Cette scène est importante sur le plan dramatique : étudiez son évolution et précisez la place qu'elle occupe dans l'acte. Dans quelle mesure peut-on dire que Giraudoux s'y montre dramaturge habile?
— En quoi consiste la palinodie de Busiris? La méfiance de Giraudoux à l'égard des juristes est-elle fondée? (Suite de la question **36,** page 99.)

SCÈNE VI. — HÉLÈNE, LA PETITE POLYXÈNE.

HÉLÈNE. — Tu veux me parler, chérie?

LA PETITE POLYXÈNE. — Oui, tante Hélène.

HÉLÈNE. — Ça doit être important, tu es toute raide. Et tu te sens toute raide aussi, je parie?

5 LA PETITE POLYXÈNE. — Oui, tante Hélène.

HÉLÈNE. — C'est une chose que tu ne peux pas me dire sans être raide?

LA PETITE POLYXÈNE. — Non, tante Hélène.

HÉLÈNE. — Alors, dis le reste. Tu me fais mal, raide comme 10 cela.

LA PETITE POLYXÈNE. — Tante Hélène, si vous nous aimez, partez!

HÉLÈNE. — Pourquoi partirais-je, chérie?

LA PETITE POLYXÈNE. — A cause de la guerre.

15 HÉLÈNE. — Tu sais déjà ce que c'est, la guerre?

LA PETITE POLYXÈNE. — Je ne sais pas très bien. Je crois qu'on meurt.

HÉLÈNE. — La mort aussi tu sais ce que c'est?

LA PETITE POLYXÈNE. — Je ne sais pas non plus très bien. 20 Je crois qu'on ne sent plus rien.

HÉLÈNE. — Qu'est-ce qu'Andromaque t'a dit au juste de me demander?

LA PETITE POLYXÈNE. — De partir, si vous nous aimez.

HÉLÈNE. — Cela ne me paraît pas très logique. Si tu aimais 25 quelqu'un, tu le quitterais?

LA PETITE POLYXÈNE. — Oh! non! jamais!

HÉLÈNE. — Qu'est-ce que tu préférerais, quitter Hécube ou ne plus rien sentir?

QUESTIONS

— Quels sont les caractères qui font du discours aux morts d'Hector un morceau d'anthologie? Ce discours a-t-il perdu de son actualité? — La satire et la parodie largement répandues nuisent-elles à la qualité tragique de la scène?

LA PETITE POLYXÈNE. — Oh! ne rien sentir! Je préférerais
30 rester et ne plus jamais rien sentir...

HÉLÈNE. — Tu vois comme tu t'exprimes mal! Pour que je parte, au contraire, il faudrait que je ne vous aime pas. Tu préfères que je ne t'aime pas?

LA PETITE POLYXÈNE. — Oh! non! que vous m'aimiez!

35 HÉLÈNE. — Tu ne sais pas ce que tu dis, en somme?

LA PETITE POLYXÈNE. — Non... (37)

VOIX D'HÉCUBE. — Polyxène! (38)

SCÈNE VII. — LES MÊMES, HÉCUBE, ANDROMAQUE.

HÉCUBE. — Tu es sourde, Polyxène? Et qu'as-tu à fermer les yeux en me voyant? Tu joues à la statue? Viens avec moi.

HÉLÈNE. — Elle s'entraîne à ne rien sentir. Mais elle n'est pas douée.

5 HÉCUBE. — Enfin, est-ce que tu m'entends, Polyxène? Est-ce que tu me vois?

LA PETITE POLYXÈNE. — Oh! oui! Je t'entends. Je te vois.

HÉCUBE. — Pourquoi pleures-tu? Il n'y a pas de mal à me voir et à m'entendre.

10 LA PETITE POLYXÈNE. — Si... Tu partiras...

HÉCUBE. — Vous me ferez le plaisir de laisser désormais Polyxène tranquille, Hélène. Elle est trop sensible pour toucher l'insensible, fût-ce à travers votre belle robe et votre belle voix.

HÉLÈNE. — C'est bien mon avis. Je conseille à Andromaque
15 de faire ses commissions elle-même. Embrasse-moi, Polyxène. Je pars ce soir, puisque tu y tiens.

LA PETITE POLYXÈNE. — Ne partez pas! Ne partez pas!

HÉLÈNE. — Bravo! Te voilà souple...

QUESTIONS

37. La présentation de la petite Polyxène n'est-elle pas quelque peu comique?

38. SUR LA SCÈNE VI. — Cette scène a l'allure d'un exercice de style : étudiez les mécanismes de ce jeu verbal et montrez que ces échanges sont caractéristiques de la « manière » de Giraudoux.
— Cependant, la petite Polyxène ne dévoile-t-elle pas par sa naïveté des vérités sur le monde et sur les hommes? Lesquelles?

HÉCUBE. — Tu viens, Andromaque?

20 ANDROMAQUE. — Non, je reste. **(39)**

SCÈNE VIII. — HÉLÈNE, ANDROMAQUE.

HÉLÈNE. — L'explication, alors?

ANDROMAQUE. — Je crois qu'il la faut. **(40)**

HÉLÈNE. — Écoutez-les crier et discuter là-bas, tous tant qu'ils sont! Cela ne suffit pas? Il faut encore que les belles-
5 sœurs s'expliquent? S'expliquent quoi, puisque je pars?

ANDROMAQUE. — Que vous partiez ou non, ce n'est plus la question, Hélène. **(41)**

HÉLÈNE. — Dites cela à Hector. Vous faciliterez sa journée.

ANDROMAQUE. — Oui, Hector s'accroche à l'idée de votre
10 départ. Il est comme tous les hommes. Il suffit d'un lièvre pour le détourner du fourré où est la panthère. Le gibier des hommes peut se chasser ainsi. Pas celui des dieux. **(42)**

HÉLÈNE. — Si vous avez découvert ce qu'ils veulent, les dieux, dans toute cette histoire, je vous félicite.

15 ANDROMAQUE. — Je ne sais pas si les dieux veulent quelque chose. Depuis ce matin, tout me semble le réclamer, le crier, l'exiger, les hommes, les bêtes, les plantes... Jusqu'à cet enfant en moi...

HÉLÈNE. — Ils réclament quoi? **(43)**

QUESTIONS

39. SUR LA SCÈNE VII. — Appréciez l'habileté avec laquelle Giraudoux introduit Andromaque.

40. A quelle nécessité répond cette explication : nécessité dramatique? nécessité psychologique? Le spectateur l'attendait-il? N'avait-il pas un peu oublié Andromaque?

41. Andromaque a-t-elle évolué depuis le premier acte? Qu'a-t-elle découvert?

42. Quelle idée Andromaque se fait-elle des hommes? de son mari? Quel défaut leur découvre-t-elle? Éclairez par cette réplique les tentatives d'Hector pour écarter la guerre : ont-elles, selon Andromaque, des chances de réussir? Montrez qu'Andromaque considère Hector comme Électre considère Oreste (*Electre*, II, III).

43. Rapprochez Hélène de Judith (*Judith*, I, IV) et Andromaque d'Électre (*Electre*, II, VIII) et montrez qu'elles développent deux thèmes fondamentaux de l'univers de J. Giraudoux.

20 ANDROMAQUE. — Que vous aimiez Pâris. **(44)**

HÉLÈNE. — S'ils savent que je n'aime point Pâris, ils sont mieux renseignés que moi.

ANDROMAQUE. — Vous ne l'aimez pas! Peut-être pourriez-vous l'aimer. Mais, pour le moment, c'est dans un malen-
25 tendu que vous vivez tous deux.

HÉLÈNE. — Je vis avec lui dans la bonne humeur, dans l'agrément, dans l'accord. Le malentendu de l'entente, je ne vois pas très bien ce que cela peut être.

ANDROMAQUE. — Vous ne l'aimez pas. On ne s'entend pas,
30 dans l'amour. La vie de deux époux qui s'aiment, c'est une perte de sang-froid perpétuel. La dot des vrais couples est la même que celle des couples faux : le désaccord originel. Hector est le contraire de moi. Il n'a aucun de mes goûts. Nous passons notre journée ou à nous vaincre l'un l'autre ou à nous sacrifier.
35 Les époux amoureux n'ont pas le visage clair. **(45)**

HÉLÈNE. — Et si mon teint était de plomb, quand j'approche Pâris, et mes yeux blancs, et mes mains moites, vous pensez que Ménélas en serait transporté, les Grecs épanouis?

ANDROMAQUE. — Peu importerait alors ce que pensent les
40 Grecs!

HÉLÈNE. — Et la guerre n'aurait pas lieu?

ANDROMAQUE. — Peut-être, en effet, n'aurait-elle pas lieu! Peut-être, si vous vous aimiez, l'amour appellerait-il à son secours l'un de ses égaux, la générosité, l'intelligence... Per-
45 sonne, même le destin, ne s'attaque d'un cœur léger à la passion... Et même si elle avait lieu, tant pis! **(46)**

HÉLÈNE. — Ce ne serait sans doute pas la même guerre?

QUESTIONS

44. Cette exigence était-elle prévisible? N'entrave-t-elle pas les plans d'Hector?

45. Définition de l'amour : qu'a-t-elle de paradoxal? Giraudoux ne prend-il pas le contre-pied de lieux communs complaisamment entretenus? Andromaque évoque au passage un thème foncièrement tragique qui occupera une place de plus en plus grande dans le théâtre de Giraudoux, « le désaccord originel » : montrez que *Sodome et Gomorrhe* et *Pour Lucrèce* consistent surtout en l'exploitation de ce thème.

46. Andromaque justifie son intervention : quelle puissance accorde-t-elle à l'amour? Quel rôle lui assigne-t-elle en face du destin? Le rêve d'Andromaque ne sera-t-il pas aussi celui d'Ondine? Qu'arrivera-t-il alors?

ANDROMAQUE. — Oh! non, Hélène! Vous sentez bien ce qu'elle sera, cette lutte. Le sort ne prend pas tant de précautions 50 pour un combat vulgaire. Il veut construire l'avenir sur elle, l'avenir de nos races, de nos peuples, de nos raisonnements. Et que nos idées et que notre avenir soient fondés sur l'histoire d'une femme et d'un homme qui s'aimaient, ce n'est pas si mal. Mais il ne voit pas que vous n'êtes qu'un couple officiel... 55 Penser que nous allons souffrir, mourir, pour un couple officiel, que la splendeur ou le malheur des âges, que les habitudes des cerveaux et des siècles vont se fonder sur l'aventure de deux êtres qui ne s'aimaient pas, c'est là l'horreur. **(47)**

HÉLÈNE. — Si tous croient que nous nous aimons, cela 60 revient au même.

ANDROMAQUE. — Ils ne le croient pas. Mais aucun n'avouera qu'il ne le croit pas. Aux approches de la guerre, tous les êtres sécrètent une nouvelle sueur, tous les événements revêtent un un nouveau vernis, qui est le mensonge. Tous mentent. Nos 65 vieillards n'adorent pas la beauté, ils s'adorent eux-mêmes, ils adorent la laideur. Et l'indignation des Grecs est un mensonge. Dieu sait s'ils se moquent de ce que vous pouvez faire avec Pâris, les Grecs! Et leurs bateaux qui accostent là-bas dans les banderolles et les hymnes, c'est un mensonge de la 70 mer. Et la vie de mon fils, et la vie d'Hector vont se jouer sur l'hypocrisie et le simulacre, c'est épouvantable! **(48)**

HÉLÈNE. — Alors?

ANDROMAQUE. — Alors je vous en supplie, Hélène. Vous me voyez là pressée contre vous comme si je vous suppliais 75 de m'aimer. Aimez Pâris! Ou dites-moi que je me trompe! Dites-moi que vous vous tuerez s'il mourait! Que vous accepterez qu'on vous défigure pour qu'il vive!... Alors la guerre

QUESTIONS

47. Qu'est-ce qui laisse entendre que pour Andromaque la guerre aura lieu? N'y a-t-il pas dans ses propos une certaine justification de la guerre? Expliquez ce que Giraudoux entend par la notion de *couple officiel* (voir *Sodome et Gomorrhe*, I, III; II, VIII). — Quelles sont les valeurs défendues par Andromaque?

48. Les deux belligérants ne sont-ils pas également coupables pour Giraudoux? Quelle complicité s'établit entre eux? Faites appel à vos connaissances historiques pour éclairer cette notion de mensonge. — Les scènes VI (de l'acte premier) et IV (de l'acte II) ne vérifient-elles pas les accusations d'Andromaque?

ne sera plus qu'un fléau, pas une injustice. J'essaierai de la supporter. **(49)**

80 HÉLÈNE. — Chère Andromaque, tout cela n'est pas si simple. Je ne passe point mes nuits, je l'avoue, à réfléchir sur le sort des humains, mais il m'a toujours semblé qu'ils se partageaient en deux sortes. Ceux qui sont, si vous voulez, la chair de la vie humaine. Et ceux qui en sont l'ordonnance, l'allure. Les 85 premiers ont le rire, les pleurs, et tout ce que vous voudrez en sécrétions. Les autres ont le geste, la tenue, le regard. Si vous les obligez à ne faire qu'une race, cela ne va plus aller du tout. L'humanité doit autant à ses vedettes qu'à ses martyrs.

ANDROMAQUE. — Hélène!

90 HÉLÈNE. — D'ailleurs vous êtes difficile... Je ne le trouve pas si mal que cela, mon amour. Il me plaît, à moi. Évidemment cela ne tire pas sur mon foie ou ma rate quand Pâris m'abandonne pour le jeu de boules ou la pêche au congre. Mais je suis commandée par lui, aimantée par lui. L'aimantation, 95 c'est aussi un amour, autant que la promiscuité. C'est une passion autrement ancienne et féconde que celle qui s'exprime par les yeux rougis de pleurs ou se manifeste par le frottement. Je suis aussi à l'aise dans cet amour qu'une étoile dans sa constellation. J'y gravite, j'y scintille, c'est ma façon à moi 100 de respirer et d'étreindre. On voit très bien les fils qu'il peut produire, cet amour, de grands êtres clairs, bien distincts, avec des doigts annelés et un nez court. Qu'est-ce qu'il va devenir, si j'y verse la jalousie, la tendresse et l'inquiétude! Le monde est déjà si nerveux : voyez vous-même! **(50)**

105 ANDROMAQUE. — Versez-y la pitié, Hélène. C'est la seule aide dont ait besoin le monde.

HÉLÈNE. — Voilà, cela devait venir, le mot est dit.

ANDROMAQUE. — Quel mot?

HÉLÈNE. — Le mot Pitié. Adressez-vous ailleurs. Je ne suis 110 pas très forte en pitié.

QUESTIONS

49. Andromaque sait que la guerre aura lieu : que cherche-t-elle à sauver? Quelle satisfaction apporte à l'humanité la solution d'Andromaque?

50. Hélène développe une conception de l'amour opposée à celle d'Andromaque : précisez-la. Cet amour est-il plus facile à vivre que celui d'Andromaque et d'Hector? Montrez qu'Hélène fait penser à Dalila (*Sodome et Gomorrhe*, II, IV), Paola (*Pour Lucrèce*, I, VIII). — Qu'ont-elles en commun?

ANDROMAQUE. — Parce que vous ne connaissez pas le malheur!

HÉLÈNE. — Je le connais très bien. Et les malheureux aussi. Et nous sommes très à l'aise ensemble. Tout enfant, je passais
115 mes journées dans les huttes collées au palais, avec les filles de pêcheurs, à dénicher et à élever des oiseaux. Je suis née d'un oiseau, de là, j'imagine, cette passion. Et tous les malheurs du corps humain, pourvu qu'ils aient un rapport avec les oiseaux, je les connais en détail : le corps du père rejeté par
120 la marée au petit matin, tout rigide, avec une tête de plus en plus énorme et frissonnante, car les mouettes s'assemblent pour picorer les yeux, et le corps de la mère ivre plumant vivant notre merle apprivoisé, et celui de la sœur surprise dans la haie avec l'ilote de service au-dessous du nid de fauvettes
125 en émoi. Et mon amie au chardonneret était difforme, et mon amie au bouvreuil était phtisique. Et malgré ces ailes que je prêtais au genre humain, je le voyais ce qu'il est, rampant, malpropre, et misérable. Mais jamais je n'ai eu le sentiment qu'il exigeait la pitié. **(51)**

130 ANDROMAQUE. — Parce que vous ne le jugez digne que de mépris.

HÉLÈNE. — C'est à savoir. Cela peut venir aussi de ce que, tous ces malheureux, je les sens mes égaux, de ce que je les admets, de ce que ma santé, ma beauté et ma gloire je ne les
135 juge pas très supérieures à leur misère. Cela peut être de la fraternité.

ANDROMAQUE. — Vous blasphémez, Hélène.

HÉLÈNE. — Les gens ont pitié des autres dans la mesure où ils auraient pitié d'eux-mêmes. Le malheur ou la laideur sont
140 des miroirs qu'ils ne supportent pas. Je n'ai aucune pitié pour moi. Vous verrez, si la guerre éclate. Je supporte la faim, le mal sans souffrir, mieux que vous. Et l'injure. Si vous croyez que je n'entends pas les Troyennes sur mon passage! Et elles me traitent de garce! Et elles disent que le matin j'ai l'œil

QUESTIONS

51. Cette réplique n'exprime-t-elle pas l'amitié de Giraudoux pour les bêtes? Citez d'autres pièces de son théâtre où l'on retrouve cette familiarité entre bêtes et gens. — Les deux dernières phrases sonnent durement : quelle vision de l'humanité révèlent-elles? Appréciez le pessimisme de Giraudoux (voir *Pour Lucrèce*, III, VII). Sur quels sentiments se fonde la pitié? N'est-ce pas, par certains côtés, un sentiment trouble? Son refus ne dénote-t-il que de la dureté de la part d'Hélène?

145 jaune. C'est faux ou c'est vrai. Mais cela m'est égal, si égal!

ANDROMAQUE. — Arrêtez-vous, Hélène!

HÉLÈNE. — Et si vous croyez que mon œil, dans ma collection de chromos en couleurs, comme dit votre mari, ne me montre pas parfois une Hélène vieillie, avachie, édentée, suço-
150 tant accroupie quelque confiture dans sa cuisine! Et ce que le plâtre de mon grimage peut éclater de blancheur! Et ce que la groseille peut être rouge! Et ce que c'est coloré et sûr et certain!... Cela m'est complètement indifférent. **(52)**

ANDROMAQUE. — Je suis perdue...

155 HÉLÈNE. — Pourquoi? S'il suffit d'un couple parfait pour vous faire admettre la guerre, il y a toujours le vôtre, Andromaque. **(53)**

SCÈNE IX. — HÉLÈNE, ANDROMAQUE, OIAX, puis HECTOR.

OIAX. — Où est-il? Où se cache-t-il? Un lâche! Un Troyen!

HECTOR. — Qui cherchez-vous?

OIAX. — Je cherche Pâris...

HECTOR. — Je suis son frère.

5 OIAX. — Belle famille! Je suis Oiax! Qui es-tu?

HECTOR. — On m'appelle Hector.

OIAX. — Moi je t'appelle beau-frère de pute!

HECTOR. — Je vois que la Grèce nous a envoyé des négociateurs. Que voulez-vous? **(54)**

QUESTIONS

52. Hélène ne se révèle-t-elle pas sous un nouveau jour? Comment expliquez-vous cette attitude qu'elle a à l'égard d'elle-même? Elle exprime ici un aspect de la philosophie de Giraudoux : lequel? — N'y a-t-il pas de la part de l'auteur un pastiche d'un célèbre poème de la Pléiade? Mais la perspective est-elle la même?

53. SUR L'ENSEMBLE DE LA SCÈNE VIII. — Composition de la scène : montrez qu'elle est parfaitement équilibrée. Étudiez le jeu des répliques : comment se répartissent-elles?

— Quel est le ton de l'ensemble? Que traduit-il? — Les thèmes : énumérez-les. En quoi sont-ils caractéristiques de Giraudoux?

— A qui Giraudoux confie-t-il le soin d'exprimer sa propre philosophie? Quelle est la plus sympathique des deux femmes?

54. Appréciez l'ironie de cette réplique. Que laisse-t-elle augurer du comportement d'Hector?

10 OIAX. — La guerre!

HECTOR. — Rien à espérer. Vous la voulez pourquoi?

OIAX. — Ton frère a enlevé Hélène.

HECTOR. — Elle était consentante, à ce que l'on m'a dit.

OIAX. — Une Grecque fait ce qu'elle veut. Elle n'a pas à
15 te demander la permission. C'est un cas de guerre.

HECTOR. — Nous pouvons vous offrir des excuses.

OIAX. — Les Troyens n'offrent pas d'excuses. Nous ne partirons d'ici qu'avec votre déclaration de guerre.

HECTOR. — Déclarez-la vous-mêmes.

20 OIAX. — Parfaitement, nous la déclarerons, et dès ce soir.

HECTOR. — Vous mentez. Vous ne la déclarerez pas. Aucune île de l'archipel ne vous suivra si nous ne sommes pas les responsables... Nous ne le serons pas.

OIAX. — Tu ne la déclareras pas, toi, personnellement, si je
25 te déclare que tu es un lâche?

HECTOR. — C'est un genre de déclaration que j'accepte.

OIAX. — Je n'ai jamais vu manquer à ce point de réflexe militaire!... Si je te dis ce que la Grèce entière pense de Troie, que Troie est le vice, la bêtise?...

30 HECTOR. — Troie est l'entêtement. Vous n'aurez pas la guerre.

OIAX. — Si je crache sur elle?

HECTOR. — Crachez.

OIAX. — Si je te frappe, toi son prince?

35 HECTOR. — Essayez.

OIAX. — Si je frappe en plein visage le symbole de sa vanité et de son faux honneur?

HECTOR. — Frappez...

OIAX, *le giflant.* — Voilà... Si Madame est ta femme, Madame
40 peut être fière.

HECTOR. — Je la connais... Elle est fière. **(55) (56)**

QUESTIONS

55. La patience d'Hector est mise à rude épreuve. Montrez : *a*) qu'il ne perd pas son sang-froid; *b*) qu'il est habile. — L'*entêtement* dont parle Hector n'est-il pas la vertu des héros tragiques (voir *Electre*)?

Question **56** : voir page 108.

SCÈNE X. — LES MÊMES, DEMOKOS.

DEMOKOS. — Quel est ce vacarme! Que veut cet ivrogne, Hector?

HECTOR. — Il ne veut rien. Il a ce qu'il veut.

DEMOKOS. — Que se passe-t-il, Andromaque?

5 ANDROMAQUE. — Rien.

OIAX. — Deux fois rien. Un Grec gifle Hector, et Hector encaisse.

DEMOKOS. — C'est vrai, Hector?

HECTOR. — Complètement faux, n'est-ce pas, Hélène?

10 HÉLÈNE. — Les Grecs sont très menteurs. Les hommes grecs.

OIAX. — C'est de nature qu'il a une joue plus rouge que l'autre?

HECTOR. — Oui. Je me porte bien de ce côté-là.

DEMOKOS. — Dis la vérité, Hector. Il a osé porter la main 15 sur toi?

HECTOR. — C'est mon affaire.

DEMOKOS. — C'est affaire de guerre. Tu es la statue même de Troie.

HECTOR. — Justement. On ne gifle pas les statues. **(57)**

20 DEMOKOS. — Qui es-tu, brute! Moi, je suis Demokos, second fils d'Achichaos!

QUESTIONS

56. SUR L'ENSEMBLE DE LA SCÈNE IX. — L'arrivée des Grecs s'annonçait-elle sous cette forme?

— Oiax : son identité? — N'est-il pas à la manière du nez de Cléopâtre un des caprices du destin?

— Comment les bellicistes peuvent-ils interpréter la résistance passive d'Hector?

— Cette scène n'annonce-t-elle pas une précipitation de l'action? Est-elle tragique?

57. Quel est le ton de ce début de scène? Qu'est-ce qui le justifie? Examinez bien les deux dernières répliques : par quel procédé Giraudoux nous fait-il rire?

Phot. Anderson-Giraudon.

Lutte entre Achille et Hector. Coupe attique (Ve siècle avant J.-C.).
Vatican, Musée étrusque.

Phot. Giraudon.

Les deux pôles de la guerre :

▲ Le départ de l'hoplite, et son retour. ▼

Cratère grec, Louvre.

OIAX. — Second fils d'Achichaos? Enchanté. Dis-moi, cela est-il aussi grave de gifler un second fils d'Achichaos que de gifler Hector?

25 DEMOKOS. — Tout aussi grave, ivrogne. Je suis chef du sénat. Si tu veux la guerre, la guerre jusqu'à la mort, tu n'as qu'à essayer. **(58)**

OIAX. — Voilà... J'essaye.

Il gifle Demokos.

DEMOKOS. — Troyens! Soldats! Au secours!

30 HECTOR. — Tais-toi, Demokos!

DEMOKOS. — Aux armes! On insulte Troie! Vengeance!

HECTOR. — Je te dis de te taire.

DEMOKOS. — Je crierai!... J'ameuterai la ville!

HECTOR. — Tais-toi!... Ou je te gifle!

35 DEMOKOS. — Priam! Anchise! Venez voir la honte de Troie. Elle a Hector pour visage.

HECTOR. — Tiens! **(59)**

Hector a giflé Demokos. Oiax s'esclaffe.

SCÈNE XI. — LES MÊMES.

Pendant la scène, Priam et les notables viennent se grouper en face du passage par où doit entrer Ulysse.

PRIAM. — Pourquoi ces cris, Demokos?

DEMOKOS. — On m'a giflé.

OIAX. — Va te plaindre à Achichaos!

PRIAM. — Qui t'a giflé?

5 DEMOKOS. — Hector! Oiax! Hector! Oiax!

QUESTIONS

58. Bien que fort dissemblables, Demokos et Oiax ne jouent-ils pas le même rôle? A quel résultat veulent-ils parvenir? — La dernière phrase de Demokos n'est-elle pas une provocation?

59. SUR L'ENSEMBLE DE LA SCÈNE X. — Le mouvement dramatique, l'effet produit par la mise en présence des deux bellicistes. Valeur tragique de cette scène.

— Demokos ne paie-t-il pas pour Oiax? Quelle est la signification politique de cette gifle? Pourrait-elle faire figure d'avertissement pour les années qui ont suivi?

PÂRIS. — Qu'est-ce qu'il raconte? Il est fou!

HECTOR. — On ne l'a pas giflé du tout, n'est-ce pas, Hélène?

HÉLÈNE. — Je regardais pourtant bien, je n'ai rien vu.

OIAX. — Ses deux joues sont de la même couleur. **(60)**

10 PÂRIS. — Les poètes s'agitent souvent sans raison. C'est ce qu'ils appellent leurs transes. Il va nous en sortir notre chant national.

DEMOKOS. — Tu me le paieras, Hector...

DES VOIX. — Ulysse. Voici Ulysse...

Oiax s'est avancé tout cordial vers Hector.

15 OIAX. — Bravo! Du cran. Noble adversaire. Belle gifle...

HECTOR. — J'ai fait de mon mieux.

OIAX. — Excellente méthode aussi. Coude fixe. Poignet biaisé. Grande sécurité pour carpe et métacarpe. Ta gifle doit être plus forte que la mienne.

20 HECTOR. — J'en doute.

OIAX. — Tu dois admirablement lancer le javelot avec ce radius en fer et ce cubitus à pivot.

HECTOR. — Soixante-dix mètres. **(61)**

OIAX. — Révérence! Mon cher Hector, excuse-moi. Je retire 25 mes menaces. Je retire ma gifle. Nous avons des ennemis communs, ce sont les fils d'Achichaos. Je ne me bats pas contre ceux qui ont avec moi pour ennemis les fils d'Achichaos. Ne parlons plus de guerre. Je ne sais ce qu'Ulysse rumine, mais compte sur moi pour arranger l'histoire... **(62)**

Il va au-devant d'Ulysse avec lequel il rentrera.

30 ANDROMAQUE. — Je t'aime, Hector.

HECTOR *montrant sa joue.* — Oui. Mais ne m'embrasse pas encore tout de suite, veux-tu?

QUESTIONS

60. Précisez l'allusion. Qu'est-ce qui en fait le sel?

61. Les précisions anatomiques et sportives vous semblent-elles déplacées? Leur effet sur le spectateur? Quelle note introduisent-elles dans la tragédie?

62. Les raisons du revirement d'Oiax? — Hector a un allié de plus : Giraudoux se montre-t-il habile en faisant renaître l'espoir?

ANDROMAQUE. — Tu as gagné encore ce combat. Aie confiance.

35 HECTOR. — Je gagne chaque combat. Mais de chaque victoire l'enjeu s'envole. **(63)**

Scène XII. — PRIAM, HÉCUBE, HECTOR, PÂRIS, LES TROYENS, LE GABIER, OLPIDÈS, IRIS, LES TROYENNES, ULYSSE, OIAX ET LEUR SUITE.

ULYSSE. — Priam et Hector, je pense?

PRIAM. — Eux-mêmes. Et derrière eux, Troie, et les faubourgs de Troie, et la campagne de Troie, et l'Hellespont, et ce pays comme un poing fermé qui est la Phrygie. Vous
5 êtes Ulysse?

ULYSSE. — Je suis Ulysse.

PRIAM. — Et voilà Anchise. Et derrière lui, la Thrace, le Pont, et cette main ouverte qu'est la Tauride. **(64)**

ULYSSE.— Beaucoup de monde pour une conversation
10 diplomatique.

PRIAM. — Et voici Hélène.

ULYSSE. — Bonjour, reine.

HÉLÈNE. — J'ai rajeuni ici, Ulysse. Je ne suis plus que princesse.

15 PRIAM. — Nous vous écoutons.

OIAX. — Ulysse, parle à Priam. Moi je parle à Hector.

ULYSSE. — Priam, nous sommes venus pour reprendre Hélène.

OIAX. — Tu le comprends, n'est-ce pas, Hector? Ça ne pouvait pas se passer comme ça!

20 ULYSSE. — La Grèce et Ménélas crient vengeance.

QUESTIONS

63. Sur l'ensemble de la scène xi. — Portée du commentaire désabusé d'Hector, qui termine la scène : voir ses paroles (acte premier, scène ix). N'a-t-on pas l'impression que l'action avance sur deux plans bien différents? Avant d'aborder Ulysse, Hector garde-t-il beaucoup d'illusions? N'est-il pas devenu un héros tragique malgré lui?
— Quel est le rôle de l'homme dans ce conflit perdu d'avance?

64. Appréciez le changement de ton.

OIAX. — Si les maris trompés ne criaient pas vengeance, qu'est-ce qu'il leur resterait?

ULYSSE. — Qu'Hélène nous soit donc rendue dans l'heure même. Ou c'est la guerre.

25 OIAX. — Il y a les adieux à faire.

HECTOR. — Et c'est tout?

ULYSSE. — C'est tout.

OIAX. — Ce n'est pas long, tu vois, Hector?

HECTOR. — Ainsi, si nous vous rendons Hélène, vous nous 30 assurez la paix.

OIAX. — Et la tranquillité.

HECTOR. — Si elle s'embarque dans l'heure, l'affaire est close.

OIAX. — Et liquidée.

HECTOR. — Je crois que nous allons pouvoir nous entendre, 35 n'est-ce pas, Hélène?

HÉLÈNE. — Oui, je le pense. **(65)**

ULYSSE. — Vous ne voulez pas dire qu'Hélène va nous être rendue? **(66)**

HECTOR. — Cela même. Elle est prête.

40 OIAX. — Pour les bagages, elle en aura toujours plus au retour qu'elle n'en avait au départ.

HECTOR. — Nous vous la rendons, et vous garantissez la paix. Plus de représailles, plus de vengeance?

OIAX. — Une femme perdue, une femme retrouvée, et c'est 45 justement la même. Parfait! N'est-ce pas, Ulysse?

ULYSSE. — Pardon! Je ne garantis rien. Pour que nous renoncions à toutes représailles, il faudrait qu'il n'y eût pas prétexte à représailles. Il faudrait que Ménélas retrouvât Hélène dans l'état même où elle lui fut ravie?

50 HECTOR. — A quoi reconnaîtra-t-il un changement?

ULYSSE. — Un mari est subtil quand un scandale mondial

QUESTIONS

65. Oiax joue-t-il bien son nouveau rôle? — L'entrevue commence bien : est-ce habile de la part de Giraudoux de créer un climat de sécurité? Quelle impression donne Hector? Le spectateur se sent-il complètement soulagé?

66. Que cache cette question? Ulysse s'attendait-il à rencontrer tant de compréhension chez les Troyens?

l'a averti. Il faudrait que Pâris eût respecté Hélène. Et ce n'est pas le cas... **(67)**

LA FOULE. — Ah non! ce n'est pas le cas!

55 UNE VOIX. — Pas précisément!

HECTOR. — Et si c'était le cas?

ULYSSE. — Où voulez-vous en venir, Hector?

HECTOR. — Pâris n'a pas touché Hélène. Tous deux m'ont fait leurs confidences.

60 ULYSSE. — Quelle est cette histoire?

HECTOR. — La vraie histoire, n'est-ce pas, Hélène?

HÉLÈNE. — Qu'a-t-elle d'extraordinaire?

UNE VOIX. — C'est épouvantable! Nous sommes déshonorés! **(68)**

65 HECTOR. — Qu'avez-vous à sourire, Ulysse? Vous voyez sur Hélène le moindre indice d'une défaillance à son devoir?

ULYSSE. — Je ne le cherche pas. L'eau sur le canard marque mieux que la souillure sur la femme.

PÂRIS. — Tu parles à une reine.

70 ULYSSE. — Exceptons les reines naturellement... Ainsi, Pâris, vous avez enlevé cette reine, vous l'avez enlevée nue; vous-même, je pense, n'étiez pas dans l'eau avec cuissard et armure, et aucun goût d'elle, aucun désir d'elle ne vous a saisi?

PÂRIS. — Une reine nue est couverte par sa dignité.

75 HÉLÈNE. — Elle n'a qu'à ne pas s'en dévêtir.

ULYSSE. — Combien a duré le voyage? J'ai mis trois jours avec mes vaisseaux, et ils sont plus rapides que les vôtres.

DES VOIX. — Quelles sont ces intolérables insultes à la marine troyenne?

80 UNE VOIX. — Vos vents sont plus rapides! Pas vos vaisseaux!

ULYSSE. — Mettons trois jours, si vous voulez. Où était la reine, pendant ces trois jours?

QUESTIONS

67. Ulysse sait plaisanter, mais ne sait-il pas aussi menacer? En fixant une telle condition, ne joue-t-il pas gagnant, quelle que soit la réponse de Pâris?

68. La foule troyenne se montre-t-elle l'alliée d'Hector ou d'Ulysse? Quels mobiles l'animent? Comprend-elle ce qui se passe entre l'un et l'autre? Précisez les conséquences de son attitude? Que symbolise-t-elle?

PÂRIS. — Sur le pont étendue.

ULYSSE. — Et Pâris. Dans la hune?

85 HÉLÈNE. — Étendu près de moi.

ULYSSE. — Il lisait, près de vous? Il pêchait la dorade?

HÉLÈNE. — Parfois il m'éventait.

ULYSSE. — Sans jamais vous toucher?...

HÉLÈNE. — Un jour, le deuxième, il m'a baisé la main.

90 ULYSSE. — La main! Je vois. Le déchaînement de la brute.

HÉLÈNE. — J'ai cru digne de ne pas m'en apercevoir.

ULYSSE. — Le roulis ne vous a pas poussés l'un vers l'autre?... Je pense que ce n'est pas insulter la marine troyenne de dire que ses bateaux roulent...

95 UNE VOIX. — Ils roulent beaucoup moins que les bateaux grecs ne tanguent.

OIAX. — Tanguer, nos bateaux grecs! S'ils ont l'air de tanguer c'est à cause de leur proue surélevée et de leur arrière qu'on évide!...

100 UNE VOIX. — Oh! oui! La face arrogante et le cul plat, c'est tout grec...

ULYSSE. — Et les trois nuits? Au-dessus de votre couple, les étoiles ont paru et disparu trois fois. Rien ne vous est demeuré, Hélène, de ces trois nuits?

105 HÉLÈNE. — Si... Si! J'oubliais! Une bien meilleure science des étoiles.

ULYSSE. — Pendant que vous dormiez, peut-être... il vous a prise...

HÉLÈNE. — Un moucheron m'éveille...

110 HECTOR. — Tous deux vous le jureront, si vous voulez, sur votre déesse Aphrodite[1]. **(69)**

---

1. En tant que déesse de l'Amour.

QUESTIONS

69. Ulysse joue parfaitement son rôle de diplomate retors. Étudiez : *a*) comment il accentue sa pression; *b*) quelles réactions il suscite dans la foule, chez Hector, Hélène, Pâris; caractérisez le comportement de la foule. Les réponses d'Hélène et de Pâris, d'une sincérité douteuse, ne sont-elles pas insolentes pour Ulysse?

ULYSSE. — Je leur en fais grâce. Je la connais, Aphrodite! Son serment favori c'est le parjure... Curieuse histoire, et qui va détruire dans l'Archipel l'idée qu'il y avait des Troyens. **(70)**

115 PÂRIS. — Que pensait-on des Troyens, dans l'Archipel?

ULYSSE. — On les y croit moins doués que nous pour le négoce, mais beaux et irrésistibles. Poursuivez vos confidences, Pâris. C'est une intéressante contribution à la physiologie. Quelle raison a bien pu vous pousser à respecter Hélène quand 120 vous l'aviez à merci?...

PÂRIS. — Je... je l'aimais.

HÉLÈNE. — Si vous ne savez pas ce que c'est que l'amour, Ulysse, n'abordez pas ces sujets-là.

ULYSSE. — Avouez, Hélène, que vous ne l'auriez pas suivi, 125 si vous aviez su que les Troyens sont impuissants... **(71)**

UNE VOIX. — C'est une honte!

UNE VOIX. — Qu'on le musèle.

UNE VOIX. — Amène ta femme, et tu verras.

UNE VOIX. — Et ta grand-mère!

130 ULYSSE. — Je me suis mal exprimé. Que Pâris, le beau Pâris fût impuissant...

UNE VOIX. — Est-ce que tu vas parler, Pâris. Vas-tu nous rendre la risée du monde?

PÂRIS. — Hector, vois comme ma situation est désagréable!

135 HECTOR. — Tu n'en as plus que pour une minute... Adieu, Hélène. Et que ta vertu devienne aussi proverbiale qu'aurait pu l'être ta facilité.

HÉLÈNE. — Je n'avais pas d'inquiétude. Les siècles vous donnent toujours le mérite qui est le vôtre.

140 ULYSSE. — Pâris l'impuissant, beau surnom!... Vous pouvez l'embrasser, Hélène, pour une fois.

PÂRIS. — Hector! **(72)**

QUESTIONS

70. Ulysse se tient-il pour battu?

71. Les deux dernières répliques d'Ulysse sont-elles destinées à apaiser les esprits? Le ton d'Ulysse n'est-il pas en lui-même une provocation?

72. Que cherche visiblement Ulysse? Veut-il seulement blesser Pâris? humilier Hélène? Le Grec joue avec l'amour-propre des Troyens : est-ce habile?

Phot. Bernand.

« Nous, les gabiers de Pâris, nous en avons assez... »
Théâtre national populaire, 1963.

LE PREMIER GABIER. — Est-ce que vous allez supporter cette farce, commandant?

145 HECTOR. — Tais-toi! C'est moi qui commande ici!

LE GABIER. — Vous commandez mal! Nous, les gabiers de Pâris, nous en avons assez. Je vais le dire, moi, ce qu'il a fait à votre reine!... **(73)**

DES VOIX. — Bravo! Parle!

150 LE GABIER. — Il se sacrifie sur l'ordre de son frère. Moi, j'étais officier de bord. J'ai tout vu.

HECTOR. — Tu t'es trompé.

LE GABIER. — Vous pensez qu'on trompe l'œil d'un marin troyen? A trente pas je reconnais les mouettes borgnes. Viens 155 à mon côté, Olpidès. Il était dans la hune, celui-là. Il a tout vu d'en haut. Moi, ma tête passait de l'escalier des soutes. Elle était juste à leur hauteur, comme un chat devant un lit... Faut-il le dire, Troyens!

HECTOR. — Silence.

160 DES VOIX. — Parle! Qu'il parle!

LE GABIER. — Et il n'y avait pas deux minutes qu'ils étaient à bord, n'est-ce pas, Olpidès? **(74)**

OLPIDÈS. — Le temps d'éponger la reine et de refaire sa raie. Vous pensez si je voyais la raie de la reine, du front à la 165 nuque, de là-haut. **(75)**

LE GABIER. — Et il nous a tous envoyés dans la cale, excepté nous deux qu'il n'a pas vus...

OLPIDÈS. — Et sans pilote, le navire filait droit nord. Sans vents, la voile était franc grosse...

170 LE GABIER. — Et de ma cachette, quand j'aurais dû voir la tranche d'un seul corps, toute la journée j'ai vu la tranche de deux, un pain de seigle sur un pain de blé... Des pains qui cuisaient, qui levaient. De la vraie cuisson.

QUESTIONS

73. Les provocations d'Ulysse ont-elles réussi?

74. Voici les inévitables témoins : parlent-ils avec l'assentiment du chef? D'où leur vient leur audace? Les efforts d'Hector ne se trouvent-ils pas ruinés? Expliquez en quoi les gabiers sont des gens dangereux.

75. N'y a-t-il pas chez Giraudoux un plaisir à jouer avec les mots? Précisez.

OLPIDÈS. — Et moi d'en haut j'ai vu plus souvent un seul
175 corps que deux, tantôt blanc, comme le gabier le dit, tantôt doré. A quatre bras et quatre jambes...

LE GABIER. — Voilà pour l'impuissance! Et pour l'amour moral, Olpidès, pour la partie affection, dis ce que tu entendais de ton tonneau! Les paroles des femmes montent, celles des
180 hommes s'étalent. Je dirai ce que disait Pâris...

OLPIDÈS. — Elle l'a appelé sa perruche, sa chatte.

LE GABIER. — Lui son puma, son jaguar. Ils intervertissaient les sexes. C'est de la tendresse. C'est bien connu.

OLPIDÈS. — Tu es mon hêtre, disait-elle aussi. Je t'étreins
185 juste comme un hêtre, disait-elle... Sur la mer on pense aux arbres.

LE GABIER. — Et toi mon bouleau, lui disait-il, mon bouleau frémissant! Je me rappelle bien le mot bouleau. C'est un arbre russe.

190 OLPIDÈS. — Et j'ai dû rester jusqu'à la nuit dans la hune. On a faim et soif là-haut. Et le reste.

LE GABIER. — Et quand ils se désenlaçaient, ils se léchaient du bout de la langue, parce qu'ils se trouvaient salés.

OLPIDÈS. — Et quand ils se sont mis debout, pour aller
195 enfin se coucher, ils chancelaient...

LE GABIER. — Et voilà ce qu'elle aurait eu, ta Pénélope, avec cet impuissant.

DES VOIX. — Bravo! Bravo! **(76)**

UNE VOIX DE FEMME. — Gloire à Pâris.

200 UN HOMME JOVIAL. — Rendons à Pâris ce qui revient à Pâris! **(77)**

HECTOR. — Ils mentent, n'est-ce pas, Hélène?

ULYSSE. — Hélène écoute, charmée.

HÉLÈNE. — J'oubliais qu'il s'agissait de moi. Ces hommes
205 ont de la conviction.

ULYSSE. — Ose dire qu'ils mentent, Pâris?

QUESTIONS

76. Giraudoux traite un sujet scabreux. Étudiez dans ce passage : *a*) l'art de la suggestion; *b*) la franche sensualité de certaines répliques; *c*) les effets comiques; *d*) la qualité théâtrale de la langue.

77. Analysez la parodie et appréciez-la.

PÂRIS. — Dans les détails, quelque peu.

LE GABIER. — Ni dans le gros ni dans les détails. N'est-ce pas, Olpidès! Vous contestez vos expressions d'amour, comman-
210 dant? Vous contestez le mot puma?

PÂRIS. — Pas spécialement le mot puma!... **(78)**

LE GABIER. — Le mot bouleau, alors? Je vois. C'est le mot bouleau frémissant qui vous offusque. Tant pis, vous l'avez dit. Je jure que vous l'avez dit, et d'ailleurs il n'y a pas à rou-
215 gir du mot bouleau. J'en ai vu des bouleaux frémissants l'hiver, le long de la Caspienne, et sur la neige, avec leurs bagues d'écorce noire qui semblaient séparées par le vide, on se demandait ce qui portait les branches. Et j'en ai vu en plein été, dans le chenal près d'Astrakhan, avec leurs bagues blanches
220 comme celles des bons champignons, juste au bord de l'eau, mais aussi dignes que le saule est mollasse. Et quand vous avez dessus un de ces gros corbeaux gris et noir, tout l'arbre tremble, plie à casser, et je lui lançais des pierres jusqu'à ce qu'il s'envolât, et toutes les feuilles alors me parlaient et me
225 faisaient signe. Et à les voir frissonner, en or par-dessus, en argent, par-dessous, vous vous sentez le cœur plein de tendresse! Moi, j'en aurais pleuré, n'est-ce pas, Olpidès! Voilà ce que c'est qu'un bouleau! **(79)**

LA FOULE. — Bravo! Bravo!

230 UN AUTRE MARIN. — Et il n'y a pas que le gabier et Olpidès qui les aient vus, Priam. Du soutier à l'enseigne, nous étions tous ressortis du navire par les hublots, et tous, cramponnés à la coque, nous regardions par-dessous la lisse. Le navire n'était qu'un instrument à voir.

235 UN TROISIÈME MARIN. — A voir l'amour.

ULYSSE. — Et voilà, Hector!

HECTOR. — Taisez-vous tous.

LE GABIER. — Tiens, fais taire celle-là!

Iris apparaît dans le ciel.

QUESTIONS

78. Pâris se défend-il avec conviction? Les gabiers ont-ils compris le véritable enjeu de la situation?

79. Cette tirade sur le bouleau est-elle justifiée? Par quel procédé est-elle amenée? Essayez d'en analyser la poésie. Ne marque-t-elle pas l'intrusion de l'auteur parmi ses personnages? Effet dramatique produit par cette digression dans la situation qui s'est créée.

LE PEUPLE. — Iris! Iris!

240 PÂRIS. — C'est Aphrodite qui t'envoie? **(80)**

IRIS. — Oui, Aphrodite, elle me charge de vous dire que l'amour est la loi du monde. Que tout ce qui double l'amour devient sacré, que ce soit le mensonge, l'avarice, ou la luxure. Que tout amoureux, elle le prend sous sa garde, du roi au 245 berger en passant par l'entremetteur. J'ai bien dit : l'entremetteur. S'il en est un ici, qu'il soit salué. Et qu'elle vous interdit à vous deux, Hector et Ulysse, de séparer Pâris d'Hélène. Ou il y aura la guerre.

PÂRIS, LES VIEILLARDS. — Merci, Iris!

250 HECTOR. — Et de Pallas aucun message?

IRIS. — Oui, Pallas me charge de vous dire que la raison est la loi du monde. Tout être amoureux, vous fait-elle dire, déraisonne. Elle vous demande lui avouer franchement s'il y a plus bête que le coq sur la poule ou la mouche sur la mouche. 255 Elle n'insiste pas. Et elle vous ordonne, à vous Hector et vous Ulysse, de séparer Hélène de ce Pâris à poil frisé. Ou il y aura la guerre...

HECTOR, *les femmes.* — Merci, Iris!

PRIAM. — O mon fils, ce n'est ni Aphrodite, ni Pallas qui 260 règlent l'univers. Que nous commande Zeus, dans cette incertitude?

IRIS. — Zeus, le maître des Dieux, vous fait dire que ceux qui ne voient que l'amour dans le monde sont aussi bêtes que ceux qui ne le voient pas. La sagesse, vous fait dire Zeus, le 265 maître des Dieux, c'est tantôt de faire l'amour et tantôt de ne pas le faire. Les prairies semées de coucous et de violettes, à son humble et impérieux avis, sont aussi douces à ceux qui s'étendent l'un sur l'autre qu'à ceux qui s'étendent l'un près de l'autre, soit qu'ils lisent, soit qu'ils soufflent sur la sphère 270 aérée du pissenlit, soit qu'ils pensent au repas du soir ou à la république. Il s'en rapporte donc à Hector et à Ulysse pour que l'on sépare Hélène et Pâris tout en ne les séparant pas. Il ordonne à tous les autres de s'éloigner, et de laisser face à face les négociateurs. Et que ceux-là s'arrangent pour qu'il

QUESTIONS

80. Qui est Iris? Comment s'explique la joie du peuple à son apparition? — Pourquoi Pâris pose-t-il cette question?

275 n'y ait pas la guerre. Ou alors, il vous le jure et il n'a jamais menacé en vain, il vous jure qu'il y aura la guerre.

HECTOR. — A vos ordres, Ulysse!

ULYSSE. — A vos ordres. **(81)**

Tous se retirent. On voit une grande écharpe se former dans le ciel.

HÉLÈNE. — C'est bien elle. Elle a oublié sa ceinture à mi-
280 chemin. **(82)**

SCÈNE XIII. — ULYSSE, HECTOR.

HECTOR. — Et voilà le vrai combat, Ulysse.

ULYSSE. — Le combat d'où sortira ou ne sortira pas la guerre, oui.

HECTOR. — Elle en sortira?

5 ULYSSE. — Nous allons le savoir dans cinq minutes.

HECTOR. — Si c'est un combat de paroles, mes chances sont faibles.

ULYSSE. — Je crois que cela sera plutôt une pesée. Nous avons vraiment l'air d'être chacun sur le plateau d'une balance.
10 Le poids parlera...

HECTOR. — Mon poids? Ce que je pèse, Ulysse? Je pèse un homme jeune, une femme jeune, un enfant à naître. Je pèse la joie de vivre, la confiance de vivre, l'élan vers ce qui est juste et naturel.

QUESTIONS

81. Consultation des dieux : apparaissent-ils au bon moment? — Quels sont leurs arguments respectifs? Ne relèvent-ils pas du chantage? — Ces dieux apportent-ils une solution ou laissent-ils lâchement aux hommes le soin de régler un problème... insoluble? — Qu'est-ce qui rend cette consultation burlesque? — Quelle est la plus ridicule des trois divinités? Comparez cette satire des dieux à la critique d'Egisthe (*Electre*, I, III).

82. SUR L'ENSEMBLE DE LA SCÈNE XII. — Scène très attendue, pourquoi? L'action progresse-t-elle?

— Ulysse est-il conforme à ce qu'Homère en a dit? Vient-il pour négocier la paix ou provoquer la guerre?

— Satire des foules nationalistes; quels sont leurs défauts?

— Satire des dieux : à quoi servent-ils? Quel est le ton d'ensemble de cette scène?

15 ULYSSE. — Je pèse l'homme adulte, la femme de trente ans, le fils que je mesure chaque mois avec des encoches, contre le chambranle du palais... Mon beau-père prétend que j'abîme la menuiserie... Je pèse la volupté de vivre et la méfiance de la vie.

20 HECTOR. — Je pèse la chasse, le courage, la fidélité, l'amour.

ULYSSE. — Je pèse la circonspection devant les dieux, les hommes, et les choses.

HECTOR. — Je pèse le chêne phrygien, tous les chênes phrygiens feuillus et trapus, épars sur nos collines avec nos bœufs 25 frisés.

ULYSSE. — Je pèse l'olivier.

HECTOR. — Je pèse le faucon, je regarde le soleil en face.

ULYSSE. — Je pèse la chouette.

HECTOR. — Je pèse tout un peuple de paysans débonnaires, 30 d'artisans laborieux, de milliers de charrues, de métiers à tisser, de forges et d'enclumes... Oh! pourquoi, devant vous, tous ces poids me paraissent-ils tout à coup si légers!

ULYSSE. — Je pèse ce que pèse cet air incorruptible et impitoyable sur la côte et sur l'archipel.

35 HECTOR. — Pourquoi continuer? la balance s'incline.

ULYSSE. — De mon côté?... Oui, je le crois. **(83)**

HECTOR. — Et vous voulez la guerre?

ULYSSE. — Je ne la veux pas. Mais je suis moins sûr de ses intentions à elle.

40 HECTOR. — Nos peuples nous ont délégués tous deux ici pour la conjurer. Notre seule réunion signifie que rien n'est perdu...

ULYSSE. — Vous êtes jeune, Hector!... A la veille de toute guerre, il est courant que deux chefs des peuples en conflit 45 se rencontrent seuls dans quelque innocent village, sur la

---

QUESTIONS

83. Avec quels sentiments Hector entame-t-il ce débat? Le ton n'indique-t-il pas d'entrée qu'une partie décisive se joue? — La pesée n'est-elle pas déjà une préfiguration de la guerre? Est-elle encore dialogue ou déjà concurrence? — Arguments respectifs d'Hector et d'Ulysse. Pourquoi la balance s'incline-t-elle du côté d'Ulysse? La partie est-elle perdue? — Derrière Hector et Ulysse ne peut-on voir se profiler les ombres d'hommes d'État européens?

Phot. Bernand.

Entrevue d'ULYSSE (Jean Vilar) et d'HECTOR (Pierre Vaneck).

On comparera la représentation moderne du héros de *l'Odyssée*, sérieux et pacifique, de celle des Anciens (voir page suivante), pour lesquels Ulysse était avant tout, quoique rusé, un guerrier.

Phot. Bernand.

Ulysse poursuivant la magicienne Circé.
Vase attique (Ve siècle avant J.-C.), Louvre.

terrasse au bord d'un lac, dans l'angle d'un jardin. Et ils conviennent que la guerre est le pire fléau du monde, et tous deux, à suivre du regard ces reflets et ces rides sur les eaux, à recevoir sur l'épaule ces pétales de magnolias, ils sont paci-
50 fiques, modestes, loyaux. Et ils s'étudient. Ils se regardent. Et, tiédis par le soleil, attendris par un vin clairet, ils ne trouvent dans le visage d'en face aucun trait qui justifie la haine, aucun trait qui n'appelle l'amour humain, et rien d'incompatible non plus dans leurs langages, dans leur façon de se gratter
55 le nez ou de boire. Et ils sont vraiment combles de paix, de désirs de paix. Et ils se quittent en se serrant les mains, en se sentant des frères. Et ils se retournent de leur calèche pour se sourire... Et le lendemain pourtant éclate la guerre... Ainsi nous sommes tous deux maintenant... Nos peuples autour de
60 l'entretien se taisent et s'écartent, mais ce n'est pas qu'ils attendent de nous une victoire sur l'inéluctable. C'est seulement qu'ils nous ont donné pleins pouvoirs, qu'ils nous ont isolés, pour que nous goûtions mieux, au-dessus de la catastrophe, notre fraternité d'ennemis. Goûtons-la. C'est un plat
65 de riches. Savourons-la... Mais c'est tout. Le privilège des grands, c'est de voir les catastrophes d'une terrasse. **(84)**

HECTOR. — C'est une conversation d'ennemis que nous avons là?

ULYSSE. — C'est un duo avant l'orchestre. C'est le duo des
70 récitants avant la guerre. Parce que nous avons été créés sensés, justes et courtois, nous nous parlons, une heure avant la guerre, comme nous nous parlerons longtemps après, en anciens combattants. Nous nous réconcilions avant la lutte même, c'est toujours cela. Peut-être d'ailleurs avons-nous tort. Si
75 l'un de nous doit un jour tuer l'autre et arracher pour reconnaître sa victime la visière de son casque, il vaudrait peut-être mieux qu'il ne lui donnât pas un visage de frère... Mais l'univers le sait, nous allons nous battre. **(85)**

QUESTIONS

84. Ulysse : diplomate d'expérience? Se fait-il des illusions sur l'avenir? Précisez le sens prophétique de ses propos. — Pour le diplomate Giraudoux, ceux que l'on appelle les puissants sont-ils si puissants? Quel est leur rôle? N'y a-t-il pas un hiatus fatal entre les hommes et les événements? — Giraudoux se montre-t-il trop pessimiste?

85. Hector et Ulysse ont-ils des raisons « humaines » de se battre? A ce stade du dialogue, la guerre n'apparaît-elle pas comme une chose absurde, injustifiée? — L'avenir vérifiera-t-il les sombres prédictions d'Ulysse?

HECTOR. — L'univers peut se tromper. C'est à cela qu'on
80 reconnaît l'erreur, elle est universelle.

ULYSSE. — Espérons-le. Mais quand le destin, depuis des années, a surélevé deux peuples, quand il leur a ouvert le même avenir d'invention et d'omnipotence, quand il a fait de chacun, comme nous l'étions tout à l'heure sur la bascule, un poids
85 précieux et différent pour peser le plaisir, la conscience et jusqu'à la nature, quand par leurs architectes, leurs poètes, leurs teinturiers, il leur a donné à chacun un royaume opposé de volumes, de sons et de nuances, quand il leur a fait inventer le toit en charpente troyen et la voûte thébaine, le rouge phry-
90 gien et l'indigo grec, l'univers sait bien qu'il n'entend pas préparer ainsi aux hommes deux chemins de couleur et d'épanouissement, mais se ménager son festival, le déchaînement de cette brutalité et de cette folie humaines qui seules rassurent les dieux. C'est de la petite politique, j'en conviens. Mais
95 nous sommes chefs d'État, nous pouvons bien entre nous deux le dire : c'est couramment celle du Destin. **(86)**

HECTOR. — Et c'est Troie et c'est la Grèce qu'il a choisies cette fois?

ULYSSE. — Ce matin j'en doutais encore. J'ai posé le pied
100 sur votre estacade[1], et j'en suis sûr.

HECTOR. — Vous vous êtes senti sur un sol ennemi?

ULYSSE. — Pourquoi toujours revenir à ce mot ennemi! Faut-il vous le redire? Ce ne sont pas les ennemis naturels qui se battent. Il est des peuples que tout désigne pour une guerre,
105 leur peau, leur langue et leur odeur, ils se jalousent, ils se haïssent, ils ne peuvent pas se sentir... Ceux-là ne se battent jamais. Ceux qui se battent, ce sont ceux que le sort a lustrés et préparés pour une même guerre : ce sont les adversaires.

---

1. *Estacade* : sorte de digue.

QUESTIONS

86. Qui est responsable de la guerre selon Ulysse? Que représente la guerre pour les dieux? Quel rôle revient aux hommes? Giraudoux ne reprend-il pas à son compte la conception de l'homme des tragiques grecs? Le débat sur la guerre ne prend-il pas tout à coup une résonance métaphysique? — La tragédie trouve-t-elle maintenant le ton qui lui convient? Pourquoi? — Sens de *C'est de la petite politique*.

HECTOR. — Et nous sommes prêts pour la guerre grecque?

10 ULYSSE. — A un point incroyable. Comme la nature munit les insectes dont elle prévoit la lutte, de faiblesses et d'armes qui se correspondent, à distance, sans que nous nous connaissions, sans que nous nous en doutions, nous nous sommes élevés tous deux au niveau de notre guerre. Tout correspond
15 de nos armes et de nos habitudes comme des roues à pignon. Et le regard de vos femmes, et le teint de vos filles sont les seuls qui ne suscitent en nous ni la brutalité, ni le désir, mais cette angoisse du cœur et de la joie qui est l'horizon de la guerre. Frontons et leurs soutaches d'ombre et de feu, hennissements
20 des chevaux, peplums disparaissent à l'angle d'une colonnade, le sort a tout passé chez vous à cette couleur d'orage qui m'impose pour la première fois le relief de l'avenir. Il n'y a rien à faire. Vous êtes dans la lumière de la guerre grecque. **(87)**

HECTOR. — Et c'est ce que pensent aussi les autres Grecs?

25 ULYSSE. — Ce qu'ils pensent n'est pas plus rassurant. Les autres Grecs pensent que Troie est riche, ses entrepôts magnifiques, sa banlieue fertile. Ils pensent qu'ils sont à l'étroit sur du roc. L'or de vos temples, celui de vos blés et de votre colza ont fait à chacun de nos navires, de nos promontoires, un signe
30 qu'il n'oublie pas. Il n'est pas très prudent d'avoir des dieux et des légumes trop dorés. **(88)**

HECTOR. — Voilà enfin une parole franche... La Grèce en nous s'est choisi une proie. Pourquoi alors une déclaration de guerre? Il était plus simple de profiter de mon absence
35 pour bondir sur Troie. Vous l'auriez eue sans coup férir.

ULYSSE. — Il est une espèce de consentement à la guerre que donnent seulement l'atmosphère, l'acoustique et l'humeur du monde. Il serait dément d'entreprendre une guerre sans l'avoir. Nous ne l'avions pas.

QUESTIONS

87. Expliquez la distinction que Giraudoux fait entre *ennemi* et *adversaire?* N'est-elle pas paradoxale? L'histoire la justifie-t-elle? — Ne doit-on pas voir se profiler derrière Troie et la Grèce, l'ombre de la France et de l'Allemagne?

88. Giraudoux procède en historien : quelles peuvent être les raisons qui ont poussé les Grecs à se jeter sur Troie? Appréciez le réalisme de l'écrivain : se fait-il des illusions sur les mobiles qui animent les hommes? Caractérisez la fatalité à laquelle Giraudoux fait ici allusion? Tient-elle une grande place dans le monde moderne?

140 HECTOR. — Vous l'avez maintenant!

ULYSSE. — Je crois que nous l'avons.

HECTOR. — Qui vous l'a donnée contre nous? Troie est réputée pour son humanité, sa justice, ses arts?

ULYSSE. — Ce n'est pas par des crimes qu'un peuple se met 145 en situation fausse avec son destin, mais par des fautes[1]. Son armée est forte, sa caisse abondante, ses poètes en plein fonctionnement. Mais un jour, on ne sait pourquoi, du fait que ses citoyens coupent méchamment les arbres, que son prince enlève vilainement une femme, que ses enfants adoptent une 150 mauvaise turbulence, il est perdu. Les nations, comme les hommes, meurent d'imperceptibles impolitesses. C'est à leur façon d'éternuer ou d'éculer leurs talons que se reconnaissent les peuples condamnés... Vous avez sans doute mal enlevé Hélène... **(89)**

155 HECTOR. — Vous voyez la proportion entre le rapt d'une femme et la guerre où l'un de nos peuples périra?

ULYSSE. — Nous parlons d'Hélène. Vous vous êtes trompés sur Hélène. Pâris et vous. Depuis quinze ans je la connais, je l'observe. Il n'y a aucun doute. Elle est une des rares créa-160 tures que le destin met en circulation sur la terre pour son usage personnel. Elles n'ont l'air de rien. Elles sont parfois une bourgade, presque un village, une petite reine, presque une petite fille, mais si vous les touchez, prenez garde! C'est là la difficulté de la vie, de distinguer, entre les êtres et les objets, 165 celui qui est l'otage du destin. Vous ne l'avez pas distingué. Vous pouviez toucher impunément à nos grands amiraux, à nos rois. Pâris pouvait se laisser aller sans danger dans les lits de Sparte ou de Thèbes, à vingt généreuses étreintes. Il

---

1. Adaptation de la phrase d'Antoine Boulay de La Meurthe : « C'est plus qu'un crime, c'est une faute » (à propos de l'exécution du duc d'Enghien en 1804).

QUESTIONS

89. Quel est le plus subtil des deux protagonistes? — Après les causes « positives », pratiques, Ulysse fait allusion à des causes diffuses, « poétiques » : quelles sont-elles? — Giraudoux ne se montre-t-il pas auteur précieux? — Quel crédit peut-on accorder aux paroles d'Ulysse? Les raisons avancées vous semblent-elles aussi importantes que les précédentes? Sur quel plan est-on transporté cette fois? Les preuves sont-elles du même ordre?

a choisi le cerveau le plus étroit, le cœur le plus rigide, le sexe
70 le plus étroit... Vous êtes perdus. **(90)**

HECTOR. — Nous vous rendons Hélène.

ULYSSE. — L'insulte au destin ne comporte pas la restitution.

HECTOR. — Pourquoi discuter alors! Sous vos paroles, je vois enfin la vérité. Avouez-le. Vous voulez nos richesses!
75 Vous avez fait enlever Hélène pour avoir à la guerre un prétexte honorable! J'en rougis pour la Grèce. Elle en sera éternellement responsable et honteuse.

ULYSSE. — Responsable et honteuse? Croyez-vous! Les deux mots ne s'accordent guère. Si nous nous savions vraiment
80 responsables de la guerre, il suffirait à notre génération actuelle de nier et de mentir pour assurer la bonne foi et la bonne conscience de toutes nos générations futures. Nous mentirons. Nous nous sacrifierons. **(91)**

HECTOR. — Eh bien, le sort en est jeté, Ulysse! Va pour la
85 guerre! A mesure que j'ai plus de haine pour elle, il me vient d'ailleurs un désir plus incoercible de tuer... Parlez, puisque vous me refusez votre aide...

ULYSSE. — Comprenez-moi, Hector!... Mon aide vous est acquise. Ne m'en veuillez pas d'interpréter le sort. J'ai voulu
90 seulement lire dans ces grandes lignes que sont, sur l'univers, les voies des caravanes, les chemins des navires, le tracé des grues volantes et des races. Donnez-moi votre main. Elle aussi a ses lignes. Mais ne cherchons pas si leur leçon est la même. Admettons que les trois petites rides au fond de la main d'Hector
95 disent le contraire de ce qu'assurent les fleuves, les vols et les sillages. Je suis curieux de nature, et je n'ai pas peur. Je veux bien aller contre le sort. J'accepte Hélène. Je la rendrai à Ménélas. Je possède beaucoup plus d'éloquence qu'il n'en

QUESTIONS

90. Révélation de la véritable identité d'Hélène : quelle est-elle? Hector s'en doutait-il déjà (voir I, IX)? — Certains êtres sont *les otages du destin :* quelle place occupe cette idée dans le théâtre de Giraudoux (voir *Electre, Pour Lucrèce*)? — Quelle fut la plus grande faute des Troyens? — Hélène est-elle responsable? — Étudiez l'ironie de Giraudoux dans cette tirade. — La théorie d'Ulysse trouve-t-elle confirmation dans l'histoire? Distinguez, à ce point de vue, cause et occasion d'une guerre.

91. Qualifiez l'attitude d'Ulysse. Giraudoux ne fait-il pas allusion à des événements encore récents?

faut pour faire croire un mari à la vertu de sa femme. J'amè-
200 nerai même Hélène à y croire elle-même. Et je pars à l'instant, pour éviter toute surprise. Une fois au navire, peut-être risquons-nous de déjouer la guerre.

HECTOR. — Est-ce là la ruse d'Ulysse, ou sa grandeur?

ULYSSE. — Je ruse en ce moment contre le destin, non contre
205 vous. C'est mon premier essai et j'y ai plus de mérite. Je suis sincère, Hector... Si je voulais la guerre, je ne vous demanderais pas Hélène, mais une rançon qui vous est plus chère... Je pars... Mais je ne peux me défendre de l'impression qu'il est bien long, le chemin qui va de cette place à mon navire. **(92)**

210 HECTOR. — Ma garde vous escorte.

ULYSSE. — Il est long comme le parcours officiel des rois en visite quand l'attentat menace... Où se cachent les conjurés[1]? Heureux nous sommes, si ce n'est pas dans le ciel même... Et le chemin d'ici à ce coin du palais est long... Et long mon
215 premier pas... Comment va-t-il se faire, mon premier pas, entre tous ces périls?... Vais-je glisser et me tuer?... Une corniche va-t-elle s'effondrer sur moi de cet angle? Tout est maçonnerie neuve ici, et j'attends la pierre croulante... Du courage... Allons-y.

Il fait un premier pas.

220 HECTOR. — Merci, Ulysse.

ULYSSE. — Le premier pas va... Il en reste combien?

HECTOR. — Quatre cent soixante.

ULYSSE. — Au second! Vous savez ce qui me décide à partir, Hector...

225 HECTOR. — Je le sais. La noblesse.

ULYSSE. — Pas précisément... Andromaque a le même battement de cils que Pénélope. **(93) (94)**

---

1. Allusion évidente à l'assassinat du roi Alexandre Ier de Yougoslavie à Marseille le 9 octobre 1934.

QUESTIONS

92. Il y a en Ulysse deux hommes : lesquels? — Par son intelligence, que sait-il? Par sa bonne volonté, que fait-il? Est-il confiant? Sa ruse n'a-t-elle pas quelque chose d'héroïque et de dérisoire? Ne mène-t-il pas maintenant le même combat qu'Hector? Quel est leur ennemi commun?

93. Remarque d'une grande finesse psychologique ou pointe précieuse?

Question **94** : voir page 133.

SCÈNE XIV. — ANDROMAQUE, CASSANDRE, HECTOR, ABNÉOS, puis OIAX, puis DEMOKOS.

HECTOR. — Tu étais là, Andromaque?

ANDROMAQUE. — Soutiens-moi. Je n'en puis plus!

HECTOR. — Tu nous écoutais?

ANDROMAQUE. — Oui. Je suis brisée.

5 HECTOR. — Tu vois qu'il ne nous faut pas désespérer...

ANDROMAQUE. — De nous peut-être. Du monde, oui... Cet homme est effroyable. La misère du monde est sur moi.

HECTOR. — Une minute encore, et Ulysse est à son bord... Il marche vite. D'ici l'on suit son cortège. Le voilà déjà en
10 face des fontaines. Que fais-tu?

ANDROMAQUE. — Je n'ai plus la force d'entendre. Je me bouche les oreilles. Je n'enlèverai pas mes mains avant que notre sort soit fixé... **(95)**

HECTOR. — Cherche Hélène, Cassandre!

Oiax entre sur la scène, de plus en plus ivre. Il voit Andromaque de dos.

15 CASSANDRE. — Ulysse vous attend au port, Oiax. On vous y conduit Hélène.

OIAX. — Hélène! Je me moque d'Hélène! C'est celle-là que je veux tenir dans mes bras.

CASSANDRE. — Partez, Oiax. C'est la femme d'Hector.

20 OIAX. — La femme d'Hector! Bravo! J'ai toujours préféré les femmes de mes amis, de mes vrais amis!

QUESTIONS

94. SUR L'ENSEMBLE DE LA SCÈNE XIII. — Dans quelle mesure cette scène peut-elle être considérée comme l'un des sommets de la pièce? Scène de pause ou scène d'action? Le ton général?
— Montrez qu'elle jette un éclairage décisif sur les causes de la guerre et les mécanismes de sa déclaration : classez ces causes par ordre d'importance.
— Notez que Giraudoux reprendra, pour les systématiser, les considérations d'Ulysse sur l'origine des guerres (voir Prélude de *Sodome et Gomorrhe*).
— Ulysse vous semble-t-il *effroyable*, comme va le dire Andromaque?
— Étudiez l'aspect prophétique de cette scène.

95. Quel effet cherche à produire Giraudoux? Comment s'y prend-il? Le spectateur peut-il encore espérer que la guerre n'aura pas lieu? Montrez que le début de la scène est conforme à l'esthétique classique.

CASSANDRE. — Ulysse est déjà à mi-chemin... Partez.

OIAX. — Ne te fâche pas. Elle se bouche les oreilles. Je peux donc tout lui dire, puisqu'elle n'entendra pas. Si je la touchais, 25 si je l'embrassais, évidemment! Mais des paroles qu'on n'entend pas, rien de moins grave.

CASSANDRE. — Rien de plus grave. Allez, Oiax!

OIAX *pendant que Cassandre essaie par la force de l'éloigner d'Andromaque et que Hector lève peu à peu son javelot.* — Tu 30 crois? Alors autant la toucher. Autant l'embrasser. Mais chastement!... Toujours chastement, les femmes des vrais amis! Qu'est-ce qu'elle a de plus chaste, ta femme, Hector, le cou? Voilà pour le cou... L'oreille aussi m'a un gentil petit air tout à fait chaste! Voilà pour l'oreille... Je vais te dire, 35 moi, ce que j'ai toujours trouvé de plus chaste dans la femme... Laisse-moi!... Laisse-moi!... Elle n'entend pas les baisers non plus... Ce que tu es forte!... Je viens... Je viens.... Adieu. *Il sort.* **(96)**

Hector baisse imperceptiblement son javelot. A ce moment Demokos fait irruption. **(97)**

DEMOKOS. — Quelle est cette lâcheté? Tu rends Hélène? 40 Troyens, aux armes! On nous trahit... Rassemblez-vous... Et votre chant de guerre est prêt! Écoutez votre chant de guerre!

HECTOR. — Voilà pour ton chant de guerre!

DEMOKOS, *tombant.* — Il m'a tué!

HECTOR. — La guerre n'aura pas lieu, Andromaque! **(98)**

Il essaie de détacher les mains d'Andromaque, qui résiste, les yeux fixés sur Demokos. Le rideau qui avait commencé à tomber se relève peu à peu. **(99)**

QUESTIONS

96. L'arrivée d'Oiax était-elle attendue? Quelles réactions entraîne-t-elle chez Hector, Andromaque, les spectateurs? — N'apparaît-elle pas comme un coup du destin? Par quels procédés Giraudoux a-t-il su rendre la tension insupportable?

97. Hector baisse son javelot : montrez que ce mouvement est une trouvaille dramatique.

98. Irruption de Demokos : pouvait-elle ne pas avoir lieu? La présence d'Oiax n'entraînait-elle pas fatalement la présence de Demokos? — Demokos est-il fidèle à lui-même? — Hector le tue : lui qui n'a pas bronché devant Oiax peut-il passer pour un traître? Quelle peut être la réaction du spectateur?

99. Ne peut-on pas parler d'une seconde trouvaille dramatique?

Phot. Lipnitzki.

« Et votre chant de guerre est prêt !
Écoutez votre chant de guerre ! »

La création, dans une mise en scène de Louis Jouvet, au théâtre de l'Athénée en 1937.

45 ABNÉOS. — On a tué Demokos! Qui a tué Demokos?

DEMOKOS. — Qui m'a tué?... Oiax!... Oiax!... Tuez-le!

ABNÉOS. — Tuez Oiax!

HECTOR. — Il ment. C'est moi qui l'ai frappé.

DEMOKOS. — Non. C'est Oiax...

50 ABNÉOS. — Oiax a tué Demokos... Rattrapez-le!... Châtiez-le!

HECTOR. — C'est moi, Demokos, avoue-le! Avoue-le, ou je t'achève!

DEMOKOS. — Non, mon cher Hector, mon bien cher Hector. C'est Oiax! Tuez Oiax!

55 CASSANDRE. — Il meurt, comme il a vécu, en coassant.

ABNÉOS. — Voilà... Ils tiennent Oiax... Voilà. Ils l'ont tué!

HECTOR, *détachant les mains d'Andromaque.* — Elle aura lieu. **(100)**

Les portes de la guerre s'ouvrent lentement. Elles découvrent Hélène qui embrasse Troïlus.

CASSANDRE. — Le poète troyen est mort... La parole est 60 au poète grec[1].

Le rideau tombe définitivement. **(101) (102)**

1. La guerre de Troie a lieu : Homère pourra donc écrire *l'Iliade.*

QUESTIONS

100. Quels sentiments animent Demokos? Jusqu'où a-t-il dû aller pour que la guerre ait lieu? Pourquoi est-il cru plutôt qu'Hector?

101. SUR L'ENSEMBLE DE LA SCÈNE XIV. — Composition de la scène. Montrez : *a*) que l'action va s'accélérant; *b*) que Giraudoux a su maintenir l'espoir jusqu'au bout; *c*) que les jeux scéniques n'ont rien de gratuit.
— Les traits communs entre cette scène et les scènes IX-X de l'acte II. Soulignez la parenté qui existe entre Demokos et Oiax. Sont-ils la cause ou le prétexte de la guerre? Par quoi Hector a-t-il été vaincu?

102. SUR L'ENSEMBLE DE L'ACTE II. — Caractérisez les deux parties à peu près symétriques de cet acte. — Montrez que l'action progresse jusqu'à l'ultime réplique. Étudiez le mélange habile des scènes de pause et des scènes d'action. — Le ton : n'y a-t-il pas une évolution vers la gravité? Le dénouement : pouvait-il y avoir une autre fin?
— La fatalité : qui l'incarne? A-t-elle la rigueur implacable de la fatalité grecque? Peut-on la réduire à n'être que *la fatalité de la sottise?* En quoi est-elle, même sous cette forme, inexorable?
— Les personnages : Ulysse devant la guerre; quels sont les traits dominants de son caractère? — Complétez le portrait d'Hector. Expliquez sa colère. — Quelles sont les principales idées de Giraudoux sur : *a*) le problème des causes de la guerre; *b*) les rapports des hommes et du destin.

DOCUMENTATION THÉMATIQUE

réunie par la Rédaction des Nouveaux Classiques Larousse.

1. Le théâtre :
   1.1. Le « nouveau théâtre » ;
   1.2. Metteur en scène et acteurs ;
   1.3. La critique.
2. La légende.
3. La transposition.
4. Le thème de la fatalité de la guerre.

1. LE THÉÂTRE

1.1. LE « NOUVEAU THÉÂTRE »

La pièce de Giraudoux, mise en scène et exécutée par Jouvet au théâtre de l'Athénée le 21 novembre 1935, eut un grand succès. Or, si *La guerre de Troie n'aura pas lieu* doit son succès au génie de son auteur, elle le doit aussi à l'art et à la personnalité de Louis Jouvet. Pour bien saisir ce qu'était alors le théâtre, nous allons remonter quelques années en arrière, à l'époque où Jacques Copeau était installé au Vieux-Colombier. Car c'est Copeau qui fut l'initiateur du « nouveau théâtre » et qui sut redonner du souffle et une nouvelle lancée à un art qui était tombé, une fois de plus, dans la dégradation, l'artifice et la vulgarité. En effet, Jouvet, Dullin, Gaston Baty sont issus du Vieux-Colombier. En quoi résidait la nouvelle esthétique prônée par Copeau ? Avant tout dans le dialogue, et nous allons l'apprendre par la bouche de Copeau :

> Or, il arrive de plus en plus, depuis quelque temps, que le conteur ne travaille plus seul : ils se mettent à deux pour raconter l'histoire. Ce n'est plus un monologue. Il y a deux partenaires qui se renvoient la balle, c'est-à-dire la réplique, et c'est toujours ainsi que le théâtre est né. Voyez les Grecs et songez qu'Eschyle lui-même n'en était qu'au dialogue.
> À des réalités détestées, nous opposons un désir, une aspiration, une volonté. Nous avons pour nous cette chimère, nous portons en nous cette illusion qui donne le courage et la joie d'entreprendre. Et si l'on veut que nous nommions plus clairement le sentiment qui nous anime, la passion qui nous pousse, nous contraint, nous oblige, à laquelle il faut que nous cédions enfin, c'est l'indignation...

Suit une violente diatribe sur la dégradation du théâtre :

> ... partout veulerie, désordre, indiscipline, ignorance et sottise, dédain du créateur, haine de la beauté, une production de plus en plus folle et vaine, une critique de plus en plus constante, un goût du public de plus en plus égaré : voilà ce qui nous indigne et nous soulève.

Tels étaient les termes du premier manifeste du Vieux-Colombier en 1913. Ainsi Copeau, fut-il, avec succès, l'initiateur d'un renouveau du théâtre. L'esprit de camaraderie qu'il sut faire régner au Vieux-Colombier était déjà un garant du succès. Tous jouaient tour à tour grands et petits rôles, mais aussi étaient électriciens, costumiers, peintres, menuisiers. On se reportera à ce sujet au livre de Jean-Jacques Bernard, fils de Tristan Bernard : *Mon ami, le théâtre* (Editions Albin Michel, 1957).

Cet esprit de camaraderie, de dialogue, d'échanges et d'un amour commun de l'art subsista après la fermeture du Vieux-Colombier. J.-J. Bernard nous raconte qu'un dîner intime mensuel réunit pendant dix ans, dès l'année 1929, autour d'une même table Edmond Fleg, Jean Victor Pellerin, Jules Romains, Charles Vildrac, Bernard Zimmer, J.-R. Bloch, Simon Gantillon, H. R. Lenormand, Giraudoux et lui-même.

1.2. METTEUR EN SCÈNE ET ACTEURS

a) Louis Jouvet, « sourcier de Giraudoux ».

Aujourd'hui encore, l'ombre de Jouvet plane sur le rôle d'Hector. Il faut essayer d'imaginer cette personnalité énergique et hors du commun que nous décrit Robert Kemp dans un article du *Monde* (21 août 1951) :

> Un visage lisse, bombé, un visage en proue, à beau bec, dont les muscles ne s'efforçaient jamais, ne dessinaient point de grimaces, et qui faisait tout comprendre. Visage toujours grave, mais dont la gravité, sans qu'on perçût comment, exprimait le souci, la noblesse, la raillerie, la drôlerie. Et cette stature, ce pas lent, cette « présence », comme vous dites !...

J.-J. Bernard (*op. cit.*) nous dit que les deux rencontres capitales de Jouvet furent Molière et Giraudoux :

> La rencontre avec Giraudoux eut quelque chose de merveilleux et de paradoxal à la fois, merveilleux et paradoxal comme Giraudoux lui-même. Jouvet n'a pas caché qu'il avait joué Siegfried avec quelque appréhension. Il était beaucoup trop fin pour ne pas saisir que le son nouveau et exquis qu'apportait Giraudoux au théâtre était en même temps une réintroduction subtile dans l'art dramatique de cette littérature dont les hommes de la génération de Jouvet s'appliquaient précisément à libérer les planches. « Littérature », péché mignon où retombe périodiquement le théâtre...
> [...] Ici, par une voie prestigieuse, Giraudoux fut un enchanteur, il le resta dramaturge quand il écrivit *Amphitryon 38, La guerre de Troie n'aura pas lieu,* perles du théâtre de son temps. Mais un enchanteur inimitable. Inimitable comme La Fontaine ou Marivaux.

L'article de Robert Kemp (21 août 1951) que l'on retrouvera dans un recueil d'articles (*la Vie du théâtre,* Éditions Albin Michel, 1956) dresse un excellent portrait de Jouvet :

> Il était né de Copeau, c'est vrai. C'est Copeau qui, au Vieux-Colombier, confia à ce grand flandrin aux yeux de magnétiseur ses premiers rôles, et le soin d'éclairer la scène et d'y disposer un minimum de sièges et d'accessoires. Mais comment imaginer que Jouvet, n'importe où, pourvu qu'il parût, ne fût pas devenu chef et vedette? [...]

> [...] Disciple de Copeau, Jouvet n'a pas tardé à se distinguer de lui. Moins envoûté de Shakespeare, plus réaliste peut-être, plus simplificateur encore que son maître, il s'est créé un style. Un style de limpidité toute française, où son choix, sa volonté s'affirmaient sans équivoque. [...]
> [...] Clarté du décor, sans « chichis », sans amusettes, d'une franchise entière de lignes et de tonalité. Si beau que fût le ciel de Troie, si noble le palais des Atrides, si fine l'atmosphère où évoluaient l'instituteur d'*Intermezzo* et ses élèves abeilles, ils n'accrochaient pas l'attention aux dépens du texte. Jouvet n'a pas maudit « Sire le mot ».
> [...] et s'il aima Giraudoux, ce fut moins pour les girandoles et les paillettes du langage que pour les vertus ressuscitées de la tragédie athénienne. Il chassait le superflu, il isolait l'essentiel. La qualité de son esprit devenait évidente; il avait le pouvoir d'abstraction des grands architectes, qui se contentaient des colonnes, sans feuillages ni oiseaux autour du chapiteau.
> [...] Lié par l'admiration, par le succès, par une fraternité d'esprit émouvante à Giraudoux, il en avait été le « sourcier » ; il ne le laissa pas se dessécher. Il le servit si bien que lorsque Giraudoux dut, pour *Judith* ou pour *Sodome et Gomorrhe,* se passer de lui, ses pièces réussirent moins bien. Quelle fut, dans l'élaboration d'*Amphitryon 38,* de *La guerre de Troie,* d'*Électre,* la part de Jouvet, conseillant, exigeant, disputant, critiquant?

Ces passages de l'article de R. Kemp font mieux comprendre les affinités de Giraudoux et de Jouvet.

> On étudiera l'importance de ces remarques et on les appliquera à *La guerre de Troie n'aura pas lieu.* En quoi les dons de simplificateur et de stylisateur de Louis Jouvet s'accordaient-ils parfaitement à la pièce?

Il convient enfin de dire un mot de la diction de Louis Jouvet, qui était si originale et inoubliable pour ceux qui l'ont connu ou qui ont assisté à ses films, et de sa personnalité. Ici encore nous allons laisser la parole à Robert Kemp (même article).

> La diction de Jouvet a toujours été d'une netteté parfaite. [...] c'était un perpétuel *rubato;* des arrêts sur une note, et, comme pour rattraper le temps perdu, une fusée de syllabes. Diction capricieuse; on eût dit que le moteur fantasque ne consentait pas à reprendre son régime; ou qu'un pied distrait taquinait l'accélérateur. Instrument sans rival pour l'ironie, le sarcasme, les perfidies démoniaques; dérèglement propre à donner la plus vive illusion du naturel, de l'improvisé. Jouvet semblait créer lui-même ses mots.

Le 25 décembre 1945, Kemp écrivait dans *le Monde,* à propos de *la Folle de Chaillot :* « Jouvet a servi Giraudoux comme s'il était lui-même Giraudoux. Lisez du reste son hommage à Giraudoux dans le programme. C'est écrit d'instinct, un délicat « à la manière de ».

On recherchera dans *La guerre de Troie n'aura pas lieu* les difficultés de mise en scène et les difficultés que représente le rôle d'Hector. Comment, à votre avis, le succès a-t-il pu naître du mariage d'un metteur en scène réaliste et styliste avec l'auteur « précieux » qu'est Giraudoux ?

***b*) Madeleine Ozeray.**

Le rôle d'Hector joué par Jouvet a été pleinement secondé par le rôle d'Hélène, tenu par Madeleine Ozeray, qui laissa, elle aussi, un souvenir inoubliable.

Dans un article publié le 23 novembre 1935, dans *les Nouvelles littéraires,* Jean-Louis Vaudoyer fait l'apologie de Madeleine Ozeray dans le rôle d'Hélène.

> [...] Cette Hélène qui agit sur les mortels comme une rédemption est la fille de Léda et du Cygne. Elle allie fabuleusement dans sa personne les deux catégories d'êtres qui attirèrent et inspirèrent toujours Giraudoux : les femmes et les animaux. Dans cette œuvre où les uns règnent, les autres sont à tous moments nommés, conviés, caressés. Le lieu d'une comédie féerique de Giraudoux pourrait très bien être le paradis terrestre; sous l'arbre du bien et du mal, une petite Ève enfant qui serait Madeleine Ozeray se laisserait induire en tentation par un serpent que Lucienne Bogaert, qui fut déjà le Sphinx, incarnerait à merveille... En attendant d'être Ève, Madeleine Ozeray est Hélène. Lors de ces répétitions, les robes ravissantes que faisait pour elle Mme Alix n'étaient pas encore prêtes; aussi Mlle Ozeray portait-elle, pour travailler, un petit tailleur brun moucheté comme un plum-pudding, agrémenté du col d'écolière de Tessa.
>
> Mais Madeleine Ozeray a-t-elle besoin de se déguiser pour que le charme à peu près magique qui se dégage d'elle opère? Par l'immatérialité de toute sa personne, par la transparence de son teint, par la diaphanéité de sa chevelure, qui est autour de son front le halo de la sylphide et le nimbe de la sainte, Mlle Oseray impose de croire à l'existence de ces figures féeriques qui n'ont une réalité momentanée que dans les contes. Elle ressemble moins à ce que l'on regarde qu'à ce que l'on imagine. Bien souvent, en la voyant apparaître, nous avons dû penser presque malgré nous à la Petite Sirène d'Andersen ou à l'Aurelia de Nerval, à Lorelei, à Titania, à Eloa, aux créatures nébuleuses et irisées qui se balancent au-dessus d'un nocturne de Chopin

ou d'une mélodie de Schumann. S'il a écrit le rôle d'Hécube en pensant à celle qui l'incarnerait, il se peut que J. Giraudoux ait eu dans l'esprit moins l'Hélène d'Homère que l'Hélène d'Euripide ou l'Hélène de Goethe, lesquelles peuvent toutes deux, si elles le veulent, devenir leur propre fantôme. Lorsque Madeleine Ozeray est Hélène, Hélène est à la fois femme et oiseau. La phosphorescence duveteuse qu'elle irradie est celle du cygne céleste ; et l'on est très disposé à admettre que, la représentation une fois terminée, cette Hélène-là regagne d'un vol séraphique les hauteurs où le Zodiaque étincelle, et qu'elle y retrouve ses frères, les Gémeaux.

1.3. LA CRITIQUE

Parfois réticente, la critique de l'époque fut souvent enthousiaste, aussi bien pour l'auteur que pour le metteur en scène et acteur Louis Jouvet. Voici une série d'articles qui feront mieux comprendre les réactions du public de l'époque :

> [...] Des décors ingénieux, nets de lignes et se détachant en clair sur un ardent ciel bleu. Une mise en scène aérée, groupée avec art. De très beaux interprètes, dont quelques-uns psalmodiaient noblement !... Belle et charmante, parfaite et raffinée est la prose de Jean Giraudoux ! Mais la juste admiration qu'elle inspire ne doit pas la faire débiter comme une messe. *Oremus...* D'autant qu'elle est subtile, difficile... Je voudrais que des voix agiles, nuancées, dont les *a* ne fussent pas tangents aux *o*, les *i* aux *é*, me l'analysassent délicatement. C'est de la prose « à dire », et à bien dire !... Je voudrais que la voix vînt, d'un vol direct et sûr, apporter le sens jusqu'au fond de mon cerveau, comme l'hirondelle, d'une aile infaillible, vient glisser l'insecte dans le bec de son petit, au fond du nid, sous une poutre de la grand'salle...
> Que ceux qui, dans la troupe de M. Jouvet, sont sans péché se sentent épargnés ! Que les autres se repentent !
> M. Jouvet mène le jeu. Il est Hector, étonné, grave, las, plein d'illusions généreuses. Mme Falconetti, qui fait, mieux que les autres, palpiter les phrases, est une Andromaque amoureuse, pathétique... Je dirais laiteuse, du lait de la tendresse maternelle et de la tendresse humaine, cher aux poètes. Mme Ozeray est une jolie Hélène, durcie dans sa jeune beauté ; poupée de luxe qui s'adore et sur qui l'on n'oserait guère porter les mains... Elle nasille les discours d'Hélène, intelligemment, je crois. Mais, d'elle à nous, il s'en perd beaucoup. Mmes Dasté, Paule Andral, MM. Bouquet, Noguéro, Bogar, P. Morin et, dans le personnage du sentencieux Ulysse, M. Pierre Renoir sont des interprètes supérieurs... Supérieurs à l'auditoire, car ils ont toutes les sinuosités du texte dans la tête.

Encore un bel exercice pour les *happy few!*

(Robert Kemp, *la Liberté,* 23 novembre 1935.)

Voici ce qu'écrivait Robert Kemp, deux ans plus tard, à l'occasion d'une nouvelle présentation de *La guerre de Troie n'aura pas lieu :*

Mais sur quel code M. Giraudoux veut-il que se fondent les condamnations? Je n'y vois plus clair. Nos efforts pour comprendre le font sourire de pitié. Il professe soudain que le théâtre se sent, s'éprouve, s'accepte, et ne s'analyse pas; qu'on doit l'écouter comme un bruissement de feuilles, le humer comme la fraîcheur de l'air; s'y griller le cuir comme à un bon feu; s'en étourdir comme du parfum des fleurs. Cet anti-intellectualisme, cet intuitionisme paraît déjà périmé. Et pour une autre raison encore, je suis étonné de le voir prêcher par M. Giraudoux, l'écrivain le plus intellectualiste que nous possédions; un virtuose et un dilettante de la dialectique. C'est en divisant des thèmes anciens et les idées générales en autant de parties qu'il est possible, selon le précepte cartésien : en disposant, liant, choquant ensuite ces fragments avec le génie combinatoire d'un Gauss ou d'un Euler qu'il réussit ses enchantements. Il est le prince de la logique inessayée. Par l'anachronisme, tantôt il ôte aux idées les couleurs du temps, tantôt il les drape des couleurs du temps. Il les manie à l'état pur. Dans *La guerre de Troie...,* l'idée d'une guerre devient une sorte d'archétype platonicien. Ou bien il les métamorphose. Il secoue constamment un kaléidoscope d'idées. [...]

et plus loin :

[...] La nouvelle présentation de *La guerre de Troie n'aura pas lieu* rend plus accessible la très noble, l'infiniment ingénieuse tragédie de M. Giraudoux. Les acteurs s'agitent davantage, parlent plus clair, expliquent mieux. Mais l'ancienne, plus hiératique, était, ce me semble, d'un goût plus précieux.

(Feuilleton du *Temps,* 6 novembre 1937.)

On justifiera cette expression de Robert Kemp : Giraudoux, « prince de la logique inessayée ».

Le 4 janvier 1936, René Lalou exprime son opinion dans *les Nouvelles littéraires :*

L'émotion qui emplit les cœurs lorsque Jouvet prononce l'inoubliable discours aux morts risque de faire oublier au spectateur la délicate architecture du premier acte : la lecture lui rend sa valeur et montre que Giraudoux, comme Racine, construit par modulations : parler de ses héroïnes sera conjurer ensemble les femmes et les idées dont les figures charnelles gardent ici une égale liberté. Peut-être la cime du drame plus haut encore que l'admirable duo d'Ulysse et d'Hector est-elle atteinte avec la révolte d'Andromaque : « La vie de mon fils et la vie d'Hector vont se jouer sur un simulacre. » Ainsi, cette tragédie où Troïlus salue Shakespeare tandis qu'un bouleau sourit de tous ses frissons aux poètes romantiques est une pièce d'actualité, comme l'était *Bérénice* en 1670. Et notre « sourcier de l'Eden » souscrirait volontiers à cette déclaration de la fameuse préface que « la principale règle est de plaire et de toucher ». Nous prions seulement nos amis étrangers de croire que, si l'auteur d'*Intermezzo* et de *La guerre de Troie...* touche profondément ses compatriotes, c'est parce qu'ils reconnaissent dans les créations de son génie, secrètes féeries ou débats universels, la substance même de l'âme française.

On étudiera le style et le rythme de la pièce.
Pensez-vous que Giraudoux soit, comme Racine, un auteur tragique? Vous comparerez l'Andromaque de Giraudoux et celle de Racine.
On analysera les causes qui font d'Andromaque un personnage tragique.

Jean-Louis Vaudoyer ne cache pas son enthousiasme dans un article paru le samedi 23 novembre 1935 dans *les Nouvelles littéraires :*

[...] Jouvet a quitté la salle d'où il inspirait et dirigeait sa troupe. Le voici sur le plateau, Hector en veston, adressant aux morts ce discours si amer et si tendre, si pitoyable et si clairvoyant. En écoutant cette prose pleine, harmonieuse, à la fois noble et familière, qui laisse à l'ouïe une impression analogue à la sensation qu'une fleur laisse à l'odorat, qu'un fruit laisse au goût, en accueillant ces grandes ondes de poésie nous songeons au sentiment d'envie que dans l'avenir ceux qui liront Giraudoux éprouveront pour ceux qui eurent le privilège d'être les premiers à en lire. Sentiment d'envie analogue à celui qui est le nôtre, lorsqu'il nous arrive de nous mettre imaginairement à la place de ceux qui entendirent pour la première fois Juliette parler d'amour à Roméo, Phèdre exhaler ses plaintes pathétiques ou Fantasio rêver tout haut sous les tilleuls, dans la Munich de Musset... Il se peut que d'autres écrivains de ce temps soient, pour la postérité, plus grands et plus importants que l'auteur de *Nuit à Châteauroux,* mais Jean Giraudoux est sans doute l'un des seuls à avoir créé, de nos jours, hors de la réalité immédiate, un monde surnaturel, entièrement nouveau, profondément original, et doué de ce pouvoir de fasciner les cœurs et d'aimanter les esprits que possède le monde de Watteau ou de Mozart, de Keats ou de Heine, de Nerval ou de Chopin. [...]
La variété de Giraudoux est aussi caractérisée que la variété de Marivaux, que la variété de Stendhal, que les variétés de Prud'hon, Chassériau ou Renoir; et, là encore, il faut en revenir

à ce don de transfiguration par la poésie sans lequel la littérature et l'art perdraient leur vertu d'enchantement et leur faculté de consolation.

On reverra le discours aux morts d'Hector à la lumière de cet article.
Les comparaisons avec les écrivains et artistes que propose J.-L. Vaudoyer vous semblent-elles justifiées? Pourquoi?

Le 30 novembre 1935, *les Nouvelles littéraires* publiaient une interview en réponse à la question : « Comment avez-vous vu la pièce de Giraudoux? » Nous reproduisons ici les réponses faites à cette interview :

M. le professeur Le Mée estime que la pièce de Jean Giraudoux répond à un besoin.
— *Si j'observe en clinicien, nous dit-il, la rivalité du théâtre et du cinéma, et l'effort du théâtre pour multiplier les images par de rapides changements de décor, la pièce de Giraudoux s'oppose victorieusement à cette formule moderne.*
Au lieu que le décor doive changer la pensée, il doit seulement la situer. Comme dans Shakespeare, le décor importe peu : l'auteur laisse au spectateur le soin de comprendre.
Je citerai ce mot de Baudelaire : « On a les rêves que l'on mérite. »
La joie d'entendre une pièce de Giraudoux est la joie à laquelle on a droit.

Mme Georges Auric. — *Je souhaiterais, nous dit-elle, la lire plus encore que l'entendre et la voir, attendant de sa lecture l'impression profonde, la joie achevée, le plaisir subtil de suivre le flexible dessin et l'harmonie des mots.*

M. Jules Cain, administrateur de la Bibliothèque Nationale, nous reproche :
— *Ronsard se donnait trois jours pour lire* l'Iliade, *d'Homère : vous me donnez trois minutes pour vous parler de* La guerre de Troie n'aura pas lieu!
Je vous dirai seulement que Jean Giraudoux a su, une fois de plus, en nous divertissant, traiter de choses grandes et éternelles. Il a éveillé sur la scène ces divinités, bien plus mystérieuses que celles de l'Olympe, qui s'appellent la Vérité, la Raison, le Courage. Il faut que chaque soir à l'Athénée elles reçoivent la visite de ceux qui ont la charge de notre politique. Et quant aux jeunes, je sais avec quelle ferveur ils se redisent déjà le discours d'Hector à ses compagnons morts. Mercredi soir nous revivions certaines soirées déjà lointaines d'avant la guerre — l'autre guerre, la guerre qui a eu lieu.

M. Paul Colin nous dit :
— *J'avais lu le manuscrit de M. Jean Giraudoux. J'ai donc quelque avance dans ma vision de la pièce.*

> *Je pense que l'idée essentielle de celle-ci est que les guerres sont subies par ceux qui ne les voulaient pas, et engendrées par ceux qui n'ont pas à les craindre.*
> *Telle est la force du talent de l'auteur que je n'essaie pas de voir autrement ses personnages, je les subis. Ils s'imposent à moi comme les personnages classiques.*
> N'est-ce point, en effet, le mot qui convient à la pureté, à la sobriété de la dernière pièce de Giraudoux?
>
> Yvone Moustiers.

Voici enfin, pour terminer cette nomenclature de critiques, l'opinion de J.-J. Bernard (*op. cit.*) sur le théâtre de Giraudoux :

> [...] Et pourtant Giraudoux, avec ses dons merveilleux, n'avait-il pas lancé le théâtre sur une voie sans issue? Son génie éblouissant réussit, en quatre ou cinq ouvrages qui sont des chefs-d'œuvre, le mariage paradoxal des contraires. C'est bien là qu'on saisit le péril que peuvent représenter les hommes de génie. Ces monstres dont le rôle précisément est de concilier les inconciliables, de réussir ce que personne ne répétera plus, donnent quelques chefs-d'œuvre, puis passent, laissant leur art à la fois enrichi et malade de leur passage. Après eux, il faut tout recommencer, tout reprendre à zéro. Mais on ne le comprend pas toujours : on marche sur leur lancée et on chute.

Pensez-vous, comme J.-J. Bernard, que le théâtre de Giraudoux soit un aboutissement?
On étudiera, dans *La guerre de Troie n'aura pas lieu*, ce que J.-J. Bernard appelle le « mariage paradoxal des contraires ».

2. LA LÉGENDE

Le sujet de *La guerre de Troie n'aura pas lieu* est directement issu de la légende. Nous reproduisons ici deux passages de *l'Iliade*, tous deux tirés de l'ouvrage de la Pléiade (traduction de Robert Flacelière, 1955) :

Entretien d'Hector et d'Andromaque :

> Elle (Andromaque) vient donc à sa rencontre, et derrière elle une servante tient dans les bras son enfant — un enfant au tendre cœur, encore tout petit, splendide comme un astre et fils chéri d'Hector. Son père lui donne pour nom Scamandrios, et cependant chacun l'appelle Astyanax, parce qu'Hector protège à lui seul Ilion.
> Hector, voyant son fils, lui sourit en silence. Mais Andromaque, en pleurs, auprès de lui s'arrête, elle lui prend la main, l'interpelle et lui dit :
>
> ANDROMAQUE. — Époux infortuné! Ta fougue te perdra. Tu n'as nulle pitié de ton fils tout petit, ni de mon deuil, à moi, qui

bientôt serai veuve. Oui, bientôt, se jetant tous ensemble sur toi, les Argiens te tueront. Il vaudrait mieux pour moi, quand je ne t'aurai plus, descendre sous la terre : lorsque la destinée aura tranché ta vie, je n'aurai plus de réconfort, rien que des peines! [...]
Hector, tu es pour moi tout à la fois un père, une mère chérie, un frère, en même temps qu'un fort et jeune époux. Maintenant donc, allons! Nous prenant en pitié, reste ici sur ce mur. Ne rend pas orphelin ton fils, ta femme veuve! [...]

HECTOR. — [...] Mais, si pour l'avenir j'ai le cœur plein d'angoisse, ce n'est pas tant pour les Troyens que je m'effraie, ou pour Hécube même, ou pour le roi Priam, ou pour mes frères qui, nombreux et pleins d'ardeur, peut-être tomberont devant les ennemis et mordront la poussière : non, c'est surtout pour toi. Ah! si l'un des Argiens à cuirasse de bronze t'emmenait tout en pleurs! Alors la liberté verrait son dernier jour! Et peut-être, en Argos, au service d'autrui, tu tisseras la toile et tu porteras l'eau de la source Hypérée, ou bien de Messeis, contrainte d'obéir, soumise au joug brutal de la nécessité. Quelque jour l'on dirait, voyant couler tes larmes : « C'est la femme d'Hector, qui, de tous les Troyens aux chevaux bien domptés, fut le plus valeureux, à l'époque où la guerre entourait Ilion. » Ainsi parlerait-on, et pour toi ce serait une douleur nouvelle, puisque tu manquerais alors d'un tel mari pour écarter de toi le jour de l'esclavage. Ah! Puissé-je mourir, puissé-je être enfoui sous un aura de terre, avant d'ouïr tes cris, le jour où tu serais traînée en servitude!

Hélène sur les remparts :

Mais Iris à son tour, en messagère, vient près d'Hélène aux bras blancs. Elle a l'aspect de sa belle-sœur Laodice, que le fils d'Anténor, le grand Héliocon, a prise pour épouse; des filles de Priam, c'est elle la plus belle. Lors, Iris trouve Hélène en son palais, tissant un grand morceau de drap, double manteau de pourpre; Hélène y retraçait tous les combats que les Troyens aux bons chevaux, ainsi que les Argiens aux cuirasses d'airain, sous l'étreinte d'Arès ont supportés pour elle. Iris aux pieds légers s'approche d'elle et dit :

IRIS. — Viens ici, chère amie, et vois cette merveille : Troyens aux bons chevaux, Argiens bardés d'airain auparavant menaient les uns contre les autres la bataille d'Arès, dieu des Pleurs, dans la plaine; pour ce cruel combat, leur ardeur était grande. Les voici maintenant assis tous, en silence. La bataille a pris fin. Ils se servent de leurs écus pour s'appuyer. Près d'eux, leurs épieux sont fichés dans le sol. Mais Alexandre et Ménélas, aimés d'Arès, pour toi vont s'affronter avec leurs longues piques et l'on t'appellera la femme du vainqueur.

[...] Elle va avec ses suivantes vers la porte de Scée. Or Priam Panthoos, Thymoétès et Lampos, Clytios, Hicétaon, ce rejeton d'Arès, Oucalégon et Anténor, sages tous deux, sont installés, formant le Conseil des Anciens, près de la porte de Scée. Leur vieillesse les tient éloignés du combat, mais comme discoureurs, ils n'ont pas leurs pareils : on dirait des cigales qui, dans une forêt, sur un arbre posées, font entendre leurs voix à la douceur de lis. Tels sont les chefs troyens qui siègent sur le mur. Sitôt qu'ils voient Hélène approcher du rempart, ils disent à mi-voix entre eux ces mots ailés :

LES VIEILLARDS. — Il ne faut s'indigner de voir les Achéens guêtrés et les Troyens souffrir de si longs maux pour une telle femme. Comme, à la voir, étonnamment elle ressemble aux célestes déesses ! Si belle qu'elle soit, malgré tout, qu'elle parte en montant sur sa nef, au lieu de demeurer ici, comme un fléau pour nous et pour nos fils !

Ils disent, mais Priam, interpellant Hélène à haute voix, lui parle.

PRIAM. — Viens ici, chère fille, assieds-toi devant moi. Vois ton premier époux, tes alliés, tes amis. Tu n'es coupable en rien, pour moi, mais les dieux seuls sont coupables de tout, eux qui m'ont suscité cette guerre cruelle avec les Danaens. Nomme-moi donc le preux effrayant que voilà : quel est cet Achéen si puissant et si noble? Pour la taille, sans doute, il en est bien qui le dépassent de la tête, mais je n'ai jamais vu personne d'aussi beau, d'aussi majestueux. Il a tout l'air d'un roi.

3. LA TRANSPOSITION

Ce n'est pas tant l'inspiration que l'on recherchera dans ces passages d'Homère, mais, plutôt, on remarquera à quel point Giraudoux en était imprégné; imprégné comme un homme cultivé qui a su assimiler ses connaissances. Robert Kemp note dans un article (*le Monde,* 3 août 1948) :

Il confirme la définition que le président Herriot, dans *Jadis,* déclare tenir d'un sage oriental : « La culture est ce qui reste quand on a tout oublié... » Tout, non, mais les menus détails, la part d'érudition; qu'il s'agisse de la fin d'Holopherne mis à mort par Judith, de l'incendie de Gomorrhe ou des origines de la guerre de Troie, lui n'a retenu que l'essentiel : la légende en gros, la plus simple, la plus traditionnelle.

Comment Giraudoux a-t-il su donner à sa pièce l'atmosphère de la Grèce antique? C'est ce que nous explique Jean-Louis Vaudoyer (*les Nouvelles littéraires,* 23 novembre 1935) :

[...] Voici Louis Jouvet et Jean Giraudoux côte à côte, dans la salle vide de l'Athénée, où les chantournements baroques des balcons laissent entre-deviner leurs chatoiements sur le fond bouton-d'or et scabieuse des loges. On répète. Point encore de costumes ; point de décors ; des portants nus. Quelques cubes de bois blanc esquissent la plantation. Trois ou quatre lampes éclairent le mur du fond, uniformément peint en bleu ; ce même bleu qui fut le ciel tyrolien de *Tessa,* après avoir été, à la Comédie des Champs-Élysées, le ciel limousin d'*Intermezzo,* et qui sera de nouveau ici, comme du temps d'Amphitryon, un ciel grec. De même que Giraudoux s'offre parfois, dans les deux mondes, un voyage dans l'espace, il aime à faire parfois, en Grèce, un voyage dans le temps. Cette Grèce-là, née moins des musées que des écoles, n'est peut-être pas très différente de la Grèce à laquelle Racine et Chénier ont rêvé. Elle est une adjonction relativement récente à cet univers dont nous franchîmes le seuil voici maintenant plus de vingt ans. Nous n'oublierons jamais le plaisir, l'émotion de notre découverte ; et la fièvre émerveillée qui s'empara de nous lorsque à quelques mois de distance, nous reçûmes, de l'inconnu qui devait devenir notre ami, *Provinciales,* sous sa couverture jaune, *l'École des indifférents,* sous sa couverture grise, l'un et l'autre publiés par Grasset, alors à ses débuts.

Dans ce temps-là, le pays de Giraudoux, baigné dans une lumière d'aurore, était sinon désert, du moins peu habité. La petite troupe charmée, bientôt envoûtée, des premiers lecteurs y était accueillie par quelques jeunes gens irrésistibles : Manuel, Jacques, Bernard ; et par ces jeunes filles, par ces jeunes femmes, plus irrésistibles encore, très facilement résignées à ne point habiter dans ce « pays des hommes » qui devait tenter plus tard Juliette et Bella. On y voyait aussi ces mortes, pour lesquelles Giraudoux a toujours montré une tendre prédilection. La première de toutes, sauf erreur, était Edith Gozelan, d'*Allégories,* la doyenne de ces fantômes à la tête desquels se tient le spectre d'*Intermezzo,* et qui ne sont point absents de *La guerre de Troie n'aura pas lieu.* [...]

Giraudoux conserve le mythe de la guerre de Troie, l'intervention des dieux qui personnifie le destin, la beauté légendaire d'Hélène, et le couple Hector-Andromaque. Cependant, on retrouve partout présente l'ironie de Giraudoux : les dieux se trompent, égarent, et l'auteur joue sans cesse du paradoxe. Beaucoup ont reproché à Giraudoux ce semblant de légèreté, avec lequel il traite un sujet tragique conté par Homère. Et pourtant, l'ironie du destin, n'est-ce pas, en soi-même, un sujet purement tragique ?

Et le style, l'adresse verbale, la subtilité des idées ne sont-ils pas d'inspiration grecque ? Voici, à ce sujet, l'opinion de René Lalou (*les Nouvelles littéraires,* 4 janvier 1936) :

Disciple des pseudo-gardiens de la tradition nationale, Lucien Dubech proposait naguère de nommer Jean Giraudoux le plus mauvais écrivain de sa génération. Les pires ennemis du génie français se sont toujours recrutés parmi les adorateurs d'un classicisme qu'ils transforment, à leur mesure, en école de servilité. Classique européen, Giraudoux l'est au même titre que Mozart. Classique français, il n'a pas besoin de renier Voltaire pour s'affirmer le très légitime héritier de Jean Racine. C'est dire que le romancier d'Elpénor est beaucoup moins proche des Latins que des Grecs. Il interprète leurs mythes avec la subtilité qu'ils lui ont enseignée : Hélène plus mystérieuse d'être dépouillée de son prestige, Hector fermant les portes de la guerre, deux additions à cette geste éternelle dont *l'Iliade* nous a légué les images symboliques. Et cette tendresse pour les mots caressés comme des fruits, ces traits parodiques glissés dans un envol de flèches acérées, cette condamnation décisive de la guerre parce qu'elle a « sonné faux » ne sont-ils pas deux fois français d'être si intimement grecs?

On recherchera dans *La guerre de Troie n'aura pas lieu* des exemples justifiant cet article.

Cette façon ironique et subtile de traiter un sujet tragique a souvent choqué et déplu, en 1935; on se reportera à ce sujet à l'avis de Gabriel Marcel cité dans les *Jugements.* Voici ce qu'en pensait Robert Kemp (*la Liberté,* 23 novembre 1935) :

> M. Jean Giraudoux vient de nous offrir un de ses plus piquants *conciones,* ou recueil de discours!
> Jamais il n'avait eu plus de grâce, de subtilité, de hardiesse acrobatique. Les questions qu'il traitait, avec une extraordinaire assurance, concernaient la guerre de Troie et nous-mêmes. Leur actualité a quelque chose d'effrayant! C'est la fatalité de la guerre : c'est l'inutilité des efforts où s'obstinent les « hommes de bonne volonté »; c'est la vanité de toute sagesse et de toute loyauté; c'est la toute-puissance des instincts violents; c'est la méchanceté, le mensonge, la haine, qui narguent toute générosité; c'est l'indifférence des dieux; ce sont les ridicules des pourfendeurs de l'arrière...
> Étonnant cocktail de vérités, qui vous frappent comme des éclairs, et de sophismes, qui tournent autour de votre pensée, l'investissent, l'endorment, et la frappent douloureusement, à la fin, d'un dard inattendu... Alors, vous vous éveillez, et tout, en vous, proteste contre le captieux.
> M. Giraudoux a usé de tous ses prestiges; de sa gibecière d'escamoteur, de sa baguette de magicien, pour résoudre — « passez muscade! » — des problèmes graves en style rapide; des problèmes poignants, entre des sourires; des problèmes mortels, dans d'adorables virevoltes et pirouettes! C'est merveilleux! Et c'est, par accès, un peu gênant...
> Il avait l'air, parfois, de faire ses tours avec des cadavres, avec

des ruines... On haletait! On sentait la gorge se serrer; — comme si l'on assistait à des manières de sacrilèges élégants, et d'impiétés dansantes.

On éprouvait encore cette impression : que M. Giraudoux, avec la même virtuosité, eût réussi les répliques contradictoires selon le fameux entraînement des rhéteurs. Qu'il prenait le ton tranchant des avocats, — lesquels font toujours semblant de tenir la vraie vérité; — mais qu'il aurait aussi bien tranché dans l'autre sens; qu'il maniait une étoffe à « deux endroits », et qu'en retournant le discours A, il eût fait voir un discours B, symétrique, ni moins brillant, ni moins bien dessiné, ni moins digne de plaire, ni qui sait?... moins capable de persuader.

On recherchera, dans *La guerre de Troie n'aura pas lieu,* les éléments tragiques. — Pensez-vous que Giraudoux ait renouvelé la tragédie, et comment? — En quoi la légende et le mythe concourent-ils à créer une atmosphère tragique?

4. LE THÈME DE LA FATALITÉ DE LA GUERRE

Issue de la légende, *La guerre de Troie n'aura pas lieu* est avant tout une pièce d'actualité. Écrite et jouée en 1935, pendant l'entre-deux-guerres, elle préfigurait les vains efforts qui furent tentés pour éviter la Seconde Guerre mondiale. Voici un texte de *l'Illustration* (30 novembre 1935, n° 4 839) :

Siegfried de M. Jean Giraudoux évoquait la Grande Guerre et le rapprochement franco-allemand. *Amphitryon 38* était, dans un cadre de mythologie, une éblouissante fantaisie philosophique. *La guerre de Troie n'aura pas lieu* semble procéder de ces deux pièces. Nous y retrouvons l'antiquité fabuleuse, puisque ces deux actes pourraient servir de prologue à *l'Iliade,* mais c'est aussi de la guerre qu'il s'agit, en correspondance avec les préoccupations les plus actuelles. Car on pense bien que l'auteur, en nous parlant du conflit entre Troie et Sparte, a dans l'esprit d'autres peuples. Hector, généralissime des Troyens, revient d'une guerre qui doit être la dernière. C'est pour apprendre que Pâris a enlevé Hélène et que les Grecs en font un *casus belli.* Mais est-il une femme qui vaille que les hommes s'entretuent? Cet ancien combattant ne le croit pas. Il est presque seul, hélas!, de son avis, avec les épouses et les mères. La Guerre aura lieu quand même, parce que la fatalité l'a ainsi décidé.

Voici ce que répondit M. Massigli, directeur adjoint des Affaires politiques et commerciales, en réponse à une interview des *Nouvelles littéraires* (30 novembre 1935) :

Ce que je pense de La guerre de Troie?

— Que le 2ᵉ acte est une des œuvres les plus nobles que, depuis longtemps, il nous ait été donné d'entendre, et que Giraudoux lui-même ne s'était peut-être pas encore élevé aussi haut; que les applaudissements qui l'ont accueillie témoignent d'une manière émouvante que des œuvres de cette sorte, le public n'est pas long à les reconnaître : il les appelle, il les attend; en cette époque de valeurs frelatées, il a besoin de vraie grandeur. Quant à ma réaction « professionnelle », permettez-moi d'invoquer le secret — non moins professionnel — pour ne pas vous la confier. Mais j'espère que vous vous êtes aperçue que ce ne sont pas les diplomates que Giraudoux, inspecteur des postes diplomatiques, accuse de déchaîner les guerres... Aux temps d'Homère, Demokos n'était pas un ambassadeur; en 1935 il ne l'est pas davantage... mais il n'est pas non plus poète! N'attendez pas que je vous dise son nom, ni sa profession...

Quant à Jean-Jacques Bernard (*op. cit.*), qui voyait régulièrement Giraudoux de 1929 à 1939, il nous retrace les pensées de l'auteur à cette époque, dans un passage qui est surtout consacré à la pièce de *Siegfried,* mais qui ne sera pas déplacé à propos de *La guerre de Troie n'aura pas lieu.*

Qui était mieux placé alors que Jean Giraudoux pour évoquer un tel drame ? Au Quai d'Orsay, où il était attaché, il pouvait suivre les efforts plus ou moins désespérés qui se faisaient alors dix ans après la guerre de 1914-1918 pour combler le fossé entre la France et l'Allemagne.

Plus loin :

Hitler n'était pas encore apparu dans le ciel de l'Europe. Mais l'orage approchait... Giraudoux, à cette époque, le fin et séduisant Giraudoux parlait beaucoup, et avec quel charme! [...] mais ne disait exactement que ce qu'il voulait, un poète doublé d'un diplomate. À travers lui, quand même, nous avons pu suivre les étapes de la désillusion. Je me souviens d'un de nos dîners où il nous cita le mot de Laval : « J'ai vendu l'Éthiopie à Mussolini... » Il nous sembla ce soir-là que la porte du malheur commençait à bouger sur ses gonds...

Ainsi Giraudoux était particulièrement bien placé pour sentir, plus que tout autre, la guerre qui arrivait, si peu de temps après la guerre de 1914-1918 qu'on déclarait alors être la dernière. Mais le thème de la fatalité de la guerre est aussi un thème éternel, tragique.

En quoi ce thème est-il particulièrement bien évoqué dans *La guerre de Troie n'aura pas lieu?* On étudiera en particulier la stylisation opérée par Giraudoux. On recherchera les symboles employés pour exprimer et stigmatiser le thème de la fatalité de la guerre.

JUGEMENTS SUR GIRAUDOUX ET « LA GUERRE DE TROIE... »

En 1928, quand il aborde, à quarante-six ans, le théâtre, Giraudoux est un romancier très connu. Ses romans sont de « curieux récits pleins de poésie et d'humour », qui enroulent librement des variations mélodiques autour de quelques grands thèmes. Rien, semble-t-il, ne prédisposait Giraudoux au théâtre. Cependant, comme l'indique Pierre-Henri Simon, avec l'intervention de Louis Jouvet, Giraudoux se métamorphose en dramaturge.

C'est la rencontre de Jouvet qui a fait de Giraudoux un auteur dramatique [...]. Le théâtre dans le goût de Jouvet allait offrir à Giraudoux la forme de son génie. En effet, plus que le romancier, plus même que le conteur, l'auteur dramatique est tenu de styliser. Le genre de théâtre, tel surtout qu'il apparaissait à Jouvet, [...] est un genre poétique où le dépaysement, la fantaisie, la musique des mots et le ballet des images sont à leur place, et d'autant plus que l'auteur, plus naturellement poète, trouvera dans le jeu le véhicule normal de sa poésie. Sous un autre aspect, le théâtre a l'avantage d'imposer à l'écrivain une structure : Giraudoux, qui composait assez mal ses récits, allait être obligé de construire ses pièces. Enfin et surtout, le théâtre contraint le style à la concision. Y joue nécessairement cette règle moderne [...] que j'appellerai tout simplement la règle de dernier métro [...]. Ainsi, Giraudoux, en écrivant pour la scène, se trouvait défendu contre ses pires tentations : l'intempérance verbale, le développement, l'énumération indéfinie. Le genre dramatique allait lui permettre en même temps d'accomplir ses qualités et de combattre ses défauts. Certes, sa façon de composer au théâtre allait être des plus personnelles. A Paul Morand, qui lui disait ne pouvoir écrire de pièce parce qu'il ne trouvait pas de sujets, Giraudoux répondait : « Mais il n'y a pas de sujets, il n'y a que des thèmes. »

Pierre-Henri Simon,
Théâtre et destin (1959).

La guerre de Troie n'aura pas lieu *est jouée le 22 novembre 1935. L'accueil ne va pas sans quelques réticences. Ainsi, sans méconnaître ce qu'il y a dans cette pièce de « force et de subtilité », Gabriel Marcel se montre assez réservé :*

La guerre de Troie n'aura pas lieu [...], c'est tout le problème de la guerre et la paix que M. Giraudoux a entendu traiter, non sans introduire par endroits des spécifications qui marquent très clairement à quelle guerre précise il songe continuellement. Il n'existe pas de sujet plus poignant ni plus bouleversant; on n'y peut toucher sans ébranler aussitôt la sensibilité de l'auditeur. Je suis forcé de reconnaître cependant que, l'autre soir, nous n'avons pas été, à proprement parler, émus; c'était comme si tout cela se passait de l'autre côté d'une mince, mais infrangible cloison; au théâtre, il n'y a d'émotion que lorsque la cloison disparaît. Ceci tient-il à l'interprétation? [...] Je pense que la véritable explication est ailleurs [...]. Quelqu'un me disait pendant un entracte : « C'est un jeu. » C'est indéfendable; c'est une tragédie, cela veut être une tragédie, mais l'auteur est prisonnier de son tour d'esprit, de ses tours de phrases, de son goût invétéré pour les divertissements d'une fantaisie intellectuelle qui s'en va en promenade à la rencontre de la pensée, mais sans jamais tout à fait la rejoindre. De là quelque chose d'hybride et d'irritant dont on ne peut dire que l'auteur l'a voulu délibérément, ni qu'il l'a subi. Un écrivain d'extrême gauche, auquel le pacifisme militant de la pièce aurait pu plaire, me disait : « Je trouve cela intolérable », tout en ajoutant que, sur le plan littéraire, c'était « excellent ». Mais justement cette littérature est-elle licite? Cette réaction m'a frappé et m'a été sympathique. Il existe malgré tout un rapport secret entre la nature intime d'un sujet et le ton sur lequel on a le droit de le traiter.

Gabriel Marcel,
Sept (29 novembre 1935).

Le temps a passé, mais les détracteurs de Giraudoux n'ont pas désarmé. Certains, comme Marcel Moussy, sont revenus sur leur adoration première en découvrant que Giraudoux n'était pas un véritable homme de théâtre.

Essayant aujourd'hui de redécouvrir les raisons de mon adoration ancienne en relisant *La guerre de Troie...*, je me suis senti entièrement étranger à ce monde figé et comme « sous verre ». La rhétorique, au lieu d'y soutenir les passions, les remplace; les arabesques du monde verbal finissent par occuper exclusivement l'attention, ou par faire grincer les longues variations métaphoriques sur la guerre sonnant juste ou faux [...], et pourtant Jouvet, m'a-t-on dit, parvenait à émouvoir dans ce texte [...]. Alors, Jouvet ou Giraudoux, à qui en revenait le mérite? L'avenir le dira, selon que d'autres acteurs parviendront ou non à ranimer ce monde de formes élégantes et statiques, imperméable à l'expérience vécue et qui offre aux adolescents un miroir déformant, enchanteur.

Marcel Moussy,
Cahiers de la compagnie Madeleine Renaud-J.-L. Barrault (1953).

Le dépit amoureux fait place à la colère chez Jean Vauthier, qui s'estime trompé par Giraudoux :

Je ne peux me souvenir d'une lecture de ce grand auteur sans grondement de colère, ou sans cette plainte aiguë, laide, que le mensonge arrache [...]. Pour moi, Giraudoux représente une des têtes de l'Hydre séductrice. Le contraire d'une virilité, le tenant d'une traditionnelle préciosité mal compensée par ailleurs [...]. La lecture du *Journal* de Gide, année 1943, contribua à mon apaisement, parlons même de délivrance : « 2 janvier — je relis *La guerre de Troie n'aura pas lieu* (j'avais assisté à la représentation). L'on s'étonnera bientôt qu'il y ait eu un public pour donner assentiment, et même se pâmer, à ce ballet de sophismes, à cette danse sur les pointes de paradoxes exaspérants. Je crois que la crainte de ne point paraître à la hauteur fit beaucoup pour le succès. »

Jean Vauthier,
Cahiers de la compagnie Madeleine Renaud-J.-L. Barrault (1953).

Tout le monde ne partage pas cet avis. Bien des spectateurs, le soir où fut jouée La guerre de Troie n'aura pas lieu, *ont senti que quelque chose était arrivé, qu'en dépit de ses défauts et de ses faiblesses Giraudoux s'était élevé au-dessus de lui-même, au-dessus de l'auteur « charmeur, délicieux, agaçant » qu'il était hier, et que, pour la première fois peut-être, il avait, comme le dit Pierre Aymé Touchard, « touché à la grandeur ».*

[...] Mais qu'importe, la grandeur est là, comme malgré l'auteur. L'œuvre dépasse l'homme, elle le porte où il avait peur de se lancer [...] Rendons grâce à M. Giraudoux de nous l'avoir ramenée [la tragédie], hésitante encore et le visage voilé, mais fidèle à sa mission. Dans les plis de sa tunique, elle rassemble et confond les pans mêlés de ses devancières, la tragédie antique (le destin des dieux aveugles pèse en sourdine sur toute la pièce), la tragédie chrétienne (les hommes engagés dans le drame ont conscience que leurs actes commandent l'avenir) et cette grande méconnue des temps modernes, la tragédie de l'âme collective, qui, à la puissance des dieux, unit la folie des humains.

Pierre Aymé Touchard,
Giraudoux ou la Renaissance de la tragédie,
dans *Dionysos* (1949).

Les événements historiques qui ont suivi La guerre de Troie n'aura pas lieu *ont mis en évidence cette grandeur, ce sens du tragique que les plus perspicaces des contemporains de Giraudoux avaient pressentis dans la pièce. Aurel David a vu dans l'œuvre l'une des « pièces noires » qui expriment le mieux la tragédie de notre temps :*

La guerre de Troie est une pièce écrite en haine de la guerre, presque une pièce de circonstance, dans le meilleur sens du terme : une pièce écrite dans une grande circonstance. Giraudoux abandonne les recherches plus subtiles pour aller au secours de la vie. C'est peut-être, au point de vue littéraire, la pièce la plus importante de Giraudoux. On ne peut dire que cela sorte de la ligne de ses préoccupations, puisqu'il s'agit d'attaquer un crime contre la vie. Cette attaque lui donne une force de persuasion qu'on ne lui connaissait pas encore.

Avec *La guerre de Troie* apparaît l'un des grands tragiques de notre temps. La scène des portes de la guerre, l'incident du jurisconsulte de Syracuse, la mise en accusation d'Hélène, la retraite d'Ulysse sont d'un véritable homme de théâtre. Délivré des doutes et du travail de l'hypothèse, l'écrivain trouve sa force [...], au lieu des pièces roses on retrouvait le malheur [...], la cruauté consistait à se placer à un instant où le choix paraissait encore possible, puis à voir les efforts déjoués par l'histoire, produit de la bêtise des hommes et de la cruauté du destin [...]. Hormis le destin et la sottise et la maladresse humaines, personne n'appelle la guerre, pas même Hélène. On retrouve dans *La guerre de Troie* la peur de toute action. La ruse d'Ulysse est inutile. Il y a, de plus, ce sentiment de la difficulté de la condition humaine; l'impression que la voie idéale est absurde, pleine d'embûches. Tout ceci exprime le découragement de Giraudoux. Ce qu'il a fait pour le rapprochement de la France et de l'Allemagne (qu'il sait, de science certaine, faites pour coexister et s'allier) se perd dans l'engrenage mis en marche par les sous-hommes. Toute la pièce tourne avec horreur autour du destin des sous-hommes.

Aurel David,
Vie et mort de Jean Giraudoux (1967).

Il y a dans La guerre de Troie n'aura pas lieu, *comme dans toute vraie tragédie, un tête-à-tête avec le destin. Quel est le visage de cette fatalité qu'Ulysse déchiffre « dans ces grandes lignes que sont, sur l'univers, les voies des caravanes, les chemins des navires, le tracé des grues volantes et des races » (acte II, scène XIII)? N'est-elle que la transposition pure et simple de la fatalité grecque ou, au contraire, l'expression d'une force neuve toute-puissante dans le monde moderne : l'histoire?*

La fatalité est un phénomène collectif, et, pour cette raison, difficilement prévisible. Tolstoï a fait accepter à Giraudoux l'influence des masses et des peuples, et lui a fait minimiser l'importance d'une aristocratie, même morale, qui ne joue plus dès lors qu'un rôle symbolique [...]. Le destin concerne les civilisations, non les hommes; il est souvent conçu, à partir de *La guerre de Troie*, comme un Némésis dont le sens n'est plus individuel mais collectif. Dans cette mesure, il subsiste une parenté entre l'homme et le cosmos, mais cette parenté est faite de l'impuissance de l'humanité à mener son propre destin dans un univers dont elle ne possède pas toutes les clefs [...]. Pris dans un ordre plus vaste que le sien, l'homme n'a plus seulement à s'ouvrir aux vérités qui le dépassent. Il a le devoir de défendre, à sa place dans l'ordre des créatures, sa vérité.

René-Marill Albérès,
Esthétique et morale chez Jean Giraudoux (1957).

Cependant, la fatalité dans la tragédie a des caractéristiques qui lui sont propres. Jean-Marie Domenach est reconnaissant à Giraudoux d'avoir élucidé, dans La guerre de Troie n'aura pas lieu, *les rapports particuliers que la fatalité entretient avec le langage.*

On reçoit un mot, ou on se le donne, et puis il nous commande; mais la suite montre qu'il détenait un sens particulier, plus ou moins différent de ce que nous avions cru, et un pouvoir supérieur : c'est lui le maître, il est devenu le « maître-mot ». *Fatum,* disent les Latins : « C'était dit »; *mecktoub,* disent les Arabes : « C'était écrit. » Cette liaison du verbe avec la fatalité nous approche d'une énigme tragique : la persistance de la cause, érigée en logique irréductible contre la liberté et contre l'événement. La fatalité ne réside pas dans l'événement; elle ne réside pas non plus dans la liberté; elle est contenue dans ce mot prononcé sur moi — imprécation, bénédiction, nomination tout simplement —, ce mot qui m'enveloppe, qui marche devant moi, et que je devrai, bon gré mal gré, d'une manière ou d'une autre, justifier. Car je suis seul capable de lui donner le sens qu'il exige. La fatalité, c'est le triomphe du langage — « je te l'avais bien dit », « on t'avait prévenu ». La guerre de Troie n'aura pas lieu tant que le mot n'aura pas été prononcé; Giraudoux a merveilleusement mis en scène cette attente jusqu'au moment où l'insulte déclenche le mécanisme.

Jean-Marie Domenach,
le Retour du tragique (1967).

Depuis Homère, le spectateur sait ce qui doit arriver. Et cependant, il attend, d'une attente inquiète, ce dénouement sans surprise. S'interrogeant sur le mouvement dramatique des pièces de Giraudoux, Chris Marker a parfaitement mis en évidence l'originalité du poète par rapport à ses devanciers.

C'est peut-être la première fois depuis le monde de la tragédie que l'œuvre théâtrale renonce à la surprise et aux tiroirs, pour consister essentiellement en une continuelle *mise au point* de sa vérité sur un être choisi, ou un groupe. Le mouvement par lequel Siegfried retrouve son passé [...], Troie sa guerre [...], jugé à l'aune de Scribe, ou même de Beaumarchais, n'aurait guère de vertus. Mais écoutez Zelten parler de la tragédie, justement : *« C'est même le moment où les machinistes font silence, où le souffleur souffle plus bas, et où les spectateurs, qui ont naturellement tout deviné avant Œdipe, avant Othello, frémissent à l'idée d'apprendre ce qu'ils savent de toute éternité... »* Il est bien évident que c'est cette éternité qui est en jeu [...], que tout le prestige de la tragédie ne vient pas de l'appréhension et de la résolution d'une crise [...], mais de cette action sans surprise qui présente, comme d'autres, une tranche de vie, une tranche d'éternité. [...] Du coup, tout ce qui, dans un drame où le temps jouerait un rôle, serait erreur, devient ici précaution et nécessité [...], tout ce qui peut égarer les personnages [...], le spectateur en sera préservé. D'où l'inutilité d'inventer des mythes « modernes ». D'où l'efficacité naturelle de Judith, d'Électre, d'Amphitryon. D'où ce titre admirable, qui résume tout le système : la guerre de Troie n'aura pas lieu. Giraudoux ne daigne pas entrer dans le jeu du dramaturge-escamoteur. Lui, qu'on a tant accusé de magie blanche et de poudre aux yeux, il est le plus respectueux de l'intégrité du spectateur. Rien ne lui est plus étranger que l'appel aux nerfs, du genre « fais-moi peur » ou « tue-le ». Le spectateur est convié à l'avant-scène de Dieu le Père, pour un coup d'œil sur la création, qui n'exclut ni la pitié ni l'amusement, mais qui rétablit la distance. Drôle de théâtre, où l'on est complice de l'auteur plus que du héros, où l'éternité a le pas sur l'action, où c'est la certitude qui est dramatique...

Chris Marker,
Giraudoux par lui-même (1954).

Reconnu aujourd'hui comme un véritable auteur tragique, le Giraudoux de La guerre de Troie *ne saurait plus s'identifier à cet écrivain léger et artificiel qui a charmé l'entre-deux-guerres, à cet idéaliste décadent qui apportait au public aveugle ou inquiet des années 30 le refuge de la poésie et du rêve. Ce n'est pas le tenant d'un humanisme dépassé que M.-L. Bidal voit en Giraudoux, mais un précurseur de l'humanisme moderne, un homme lucide qui a proposé à ses semblables une direction pour la vie, une morale vigoureuse, créatrice, seule capable d'offrir à la créature humaine un recours qui ne soit pas illusion contre la sottise, le mal, le néant.*

Il ne saurait donc y avoir la moindre hésitation à situer Giraudoux parmi les écrivains qui, anxieux de la valeur de la vie, ont placé le problème du comportement humain au centre de leurs préoccupations et ont recherché une position de l'esprit — si sévère fût-elle — qui leur permette de vivre [...]. Le Giraudoux du rêve et du bonheur auquel on a voulu nous faire croire risquerait fort de s'évanouir dans l'oubli, comme une ombre trop légère, s'il ne nous apportait que des délectations qui n'ont plus cours [...]. C'est donc, nous l'avons vu, une leçon de grandeur stoïque que nous donne cette morale qui mérite d'être élucidée : elle le serait d'une manière fort incomplète, si nous ne précisions les valeurs positives qu'elle nous apporte et qui n'ont guère retenu l'attention jusqu'à maintenant [...]. L'arrogante foi en l'homme, en sa souveraineté, en sa perfection, qui avait exalté les âges d'or, est morte, c'est un fait. Il fallait donc trouver un système de vie qui tienne compte des désenchantements, des exigences d'aujourd'hui et qui lui restitue, si ce n'est une foi en l'homme, à tout le moins une morale qui le sorte du néant.

Il fallait renoncer à l'orgueil humaniste, à sa confiance erronée en des valeurs usées, et lui substituer un monde sans illusions qui ait à sa base le mal, la laideur — ses tristes apanages — et, en partant de cette réalité, trouver une position de l'esprit qui lui permette de vivre avec quelque dignité. Or, le sujet de la plupart des pièces [...] de Giraudoux n'est pas autre chose qu'une confrontation des héros avec cette réalité. [...] La médiocrité et le malheur humains reviennent dans son œuvre comme un leitmotiv obsédant [...]. Je ne saurais assez insister sur ce point : c'est en admettant la présence du mal et du malheur, en partant même souvent de son expérience, que s'édifie sa pensée constructive. Mais que son effort pour le bonheur, pour trouver de nouvelles raisons de vivre, d'aimer, de croire, ne nous fasse pas conclure, d'emblée, à un parti pris d'optimisme.

Il suppose une dure conquête, la volonté d'héroïsme de ceux qui, ayant trempé dans le dégoût du monde humain jusqu'à l'écœurement, décident de le surmonter par un acte de volonté. Pour que son message soit entendu, pour qu'il touche les esprits désabusés et exigeants du monde d'aujourd'hui, il fallait qu'il eût, à sa base, cette présence, ce rappel constant et odieux, ce « goût de renfermé de la condition humaine ». [...] C'est bien une épaisse couche de sottise, un réseau de routines et de préjugés que chaque héros de Giraudoux doit vaincre, pour trouver sa vie et remplir sa mission personnelle. [...] Giraudoux, n'en doutons pas, nous offre cette dure morale.

M.-L. Bidal,
Giraudoux tel qu'en lui-même (1956).

Si Giraudoux doit au théâtre de lui avoir permis de discipliner son ébouriffante fantaisie, et d'exprimer quelques-unes des préoccupations fondamentales de l'humanité, le théâtre, de son côté, doit à Giraudoux d'être retourné aux sources, à ces âges d'or rares et éphémères où le drame se fait incantation magique.

Jean Giraudoux [...] aura puissamment contribué à libérer le théâtre contemporain des chaînes d'un pseudo-réalisme. Il lui a restitué son éminente dignité artistique par le seul moyen efficace, par la primauté du dialogue et la magie du langage, en un temps où les progrès du cinéma nous prouvaient que le salut du théâtre serait obtenu par le retour à ses formes les plus pures. Giraudoux a retrouvé le secret de cette stylisation qui, chez Racine et chez Shakespeare aussi bien que chez les tragiques grecs, transforme les fantômes de la scène en symboles de la destinée humaine.

René Lalou,
Histoire de la littérature française contemporaine (1953).

SUJETS DE DEVOIRS ET D'EXPOSÉS

NARRATIONS

● Hector est le personnage le plus important de la pièce : faites son portrait.

● *La guerre de Troie n'aura pas lieu* met en présence deux femmes très différentes : laquelle des deux préférez-vous? Dites pourquoi.

● Vous lisez *La guerre de Troie n'aura pas lieu* pour la première fois; vous attendiez une tragédie et vous découvrez de nombreuses scènes comiques. Quelle est votre surprise? Est-elle heureuse ou malheureuse?

DISSERTATIONS ET EXPOSÉS

● Le hasard joue-t-il un rôle dans *La guerre de Troie n'aura pas lieu?*

● « Essayant de redécouvrir aujourd'hui les raisons de mon adoration ancienne en relisant *La guerre de Troie,* écrit Marcel Moussy, je me suis senti entièrement étranger à ce monde figé et comme « sous-verre ». La rhétorique, au lieu d'y soutenir les passions, les remplace; les arabesques du moule verbal finissent par occuper exclusivement l'attention, ou par faire grincer les longues variations métaphoriques sur la guerre sonnant juste ou faux... » Pensez-vous, avec l'auteur de ce jugement très sévère que *La guerre de Troie* ne soit qu'un froid exercice de rhétorique? Justifiez votre opinion.

● « A quoi tient le succès de Giraudoux? s'interroge Louis Jouvet. À la magie incantatoire du verbe dramatique. Il n'y a pas d'autre raison... » Êtes-vous de cet avis? Ne voyez-vous pas d'autres raisons qui puissent expliquer le succès de *La guerre de Troie n'aura pas lieu?*

● « Le spectacle [entendez le théâtre] est la seule forme d'éducation morale ou artistique d'une nation », déclarait Giraudoux dans un discours. En composant *La guerre de Troie n'aura pas lieu,* Giraudoux a-t-il, selon vous, rempli la haute mission qu'il assignait au théâtre?

● Dans quelle mesure *La guerre de Troie n'aura pas lieu* reflète-t-elle les problèmes et les préoccupations du XXe siècle?

● « La tragédie, écrit M. Albérès, représente pour Giraudoux une crise exceptionnelle destinée à éclaircir momentanément le conflit entre l'homme et le destin. » Appliquez ce jugement à *La guerre de Troie n'aura pas lieu,* en précisant comment Giraudoux règle le conflit entre l'homme et le destin.

● *La guerre de Troie n'aura pas lieu* est-elle une tragédie?

● La satire dans *La guerre de Troie n'aura pas lieu* nous amène-t-elle à penser que le monde est absurde?

● Giraudoux est-il présent dans sa pièce?

● *La guerre de Troie n'aura pas lieu* et l'esthétique de la tragédie classique.

● Êtes-vous d'accord avec ce jugement de Pierre Aymé Touchard sur *La guerre de Troie n'aura pas lieu* : « Giraudoux, face à face avec la fatalité, la châtre de son élément le plus terrifiant : sa logique. Il en expulse la raison. »

● Parlant de la première représentation de *Siegfried*, Pierre-Henri Simon écrit que « le spectateur peut éprouver le choc d'un théâtre absolument moderne et profondément original, poétique par la qualité de sa prose comme par la fantaisie de sa conception » : pensez-vous que l'on puisse appliquer ce commentaire à *La guerre de Troie n'aura pas lieu?*

● *La guerre de Troie n'aura pas lieu* ne permet-elle pas de répondre à cette question que M.-L. Bidal pose à l'œuvre de Giraudoux : « La féerie imaginative qui la recouvre comme un voile aux multiples reflets dissimule-t-elle ce qu'elle possède d'audace, d'ampleur, de vie ardente et secrète, les tentatives orgueilleuses pour briser la servitude humaine, les rêves de grandeur et de beauté, les prodigieux défis lancés à Dieu? »

TABLE DES MATIÈRES

IMPRIMERIE HÉRISSEY. — 27000 ÉVREUX.
Dépôt légal : Janvier 1971. — N° 54689. — N° de série Éditeur 15941.
IMPRIMÉ EN FRANCE *(Printed in France).* 870123 K-Mai 1991.